Udo Moll (Hrsg.)

Unser schönes
DEUTSCHLAND
neu entdeckt

FALKEN VERLAG

Unser schönes
DEUTSCHLAND
neu entdeckt

Inhalt

Wer mit offenen Augen und offenem Herzen durch unsere Heimat geht, der stößt überall auf besondere Schönheiten der Natur und der Landschaft, auf Zeugnisse unserer Kultur und unserer Geschichte.

Das Buch „Unser schönes Deutschland – neu entdeckt" soll dazu beitragen, die Freude an den Schönheiten unseres Landes neu zu erleben, aber auch die Menschen kennenzulernen, die bei allen Gemeinsamkeiten doch unterschiedliche Lebensgewohnheiten haben, eigene Feste feiern und Bräuche pflegen.

Da ein Teil des Erlöses aus dem Verkauf des Buches der Aktion „Dalli Dalli hilft" zufließt, tragen Sie aber auch dazu bei, bedürftigen Personen und Familien in der Bundesrepublik Deutschland und Österreich, die unverschuldet in Not geraten sind, zu helfen.

Dafür ein herzliches Dankeschön von Ihrem

Durch den Ausbau der internationalen Verkehrswege über Schiene und Straße, über die See oder durch die Lüfte ist unsere Nation zu einem reisenden Volk geworden, dessen Neugierde sich auf immer fernere Länder und Kontinente erstreckt. Aus dem Blick geraten ist dabei unsere engere und weitere Heimat, die deutschen Städte und Landschaften.

Das Buch über Entdeckungsreisen durch Deutschland möchte die Augen öffnen für die vergessenen oder noch nie gesehenen Schönheiten unseres Landes, für die Vielfalt und Besonderheiten der nahen Wirklichkeit.

Immer wieder die Augen zu öffnen für die Realität ist auch ein Anliegen der Aktion „Dalli Dalli hilft", die sich um bedürftige Personen in der Bundesrepublik Deutschland und in Österreich kümmert, und die das ZDF gerne unterstützt. Ein Teil vom Erlös dieses Buches geht direkt dieser Initiative zu. Ich danke Ihnen für Ihr Interesse an dem Buch und damit für Ihr soziales Engagement.

Hans Rosenthal

Prof. Dieter Stolte,
Intendant des ZDF

Schleswig-Holstein

1

2

3

4

5

6

7

Elbe und Heideland

1

2

3

4

5

6

Ems und Weser

Seite 16/17
In Bremen führen alle Wege zum Marktplatz, den die Bremer als ihre gute Stube bezeichnen. Besonders schön ist das Rathaus mit seiner herrlichen Renaissancefassade, daneben die Liebfrauenkirche.

Seite 18/19
1 Am Greetsieler Tief. Die beiden hübschen Windmühlen werden ganz familiär die „Zwillinge" genannt.

2 Dieser wunderschöne, alte Wagen ist eines der vielen guterhaltenen Ausstellungsstücke im Museumsdorf Cloppenburg.

3 Damit diese empfindliche Ware nicht verdirbt, wird der Krabbenfang gleich an Bord weiterverarbeitet.

4 Ruhe und Beschaulichkeit, das vermittelt dieser Blick über das „Inseldorf" Wangerooge.

5 Emden ist der bedeutendste Hafen am Dollart. Vor dem hier nächtlich beleuchteten Rathaus herrscht am Tage geschäftiges Treiben. Am Anleger beginnen die reizvollen Hafenrundfahrten.

6 In der Norddeutschen Tiefebene gibt es Erdgasvorkommen, die es lohnt abzubauen. Das geförderte Gas wird in dieser Anlage bei Diepholz gereinigt.

1

2

3

6

4

5

Weltstadt Berlin

Münsterland, Ruhrgebiet und Niederrhein

Seite 22/23
Wasserschlösser sind zwischen Münsterland und Ruhrgebiet keine Seltenheit. Inmitten eines schönen Parks liegt Schloß Anholt bei Bochum.

Seite 23
Diese Schaufront am Rathaus in Münster zeigt die Marienkrönung über der Figur Karls des Großen, entstanden in der 2. Hälfte des 14. Jahrhunderts.

Seite 24/25
1 Die historischen Fassaden dieser Münsteraner Bürgerhäuser beeindrucken die Besucher der Stadt, denn ähnlich schöne Ensembles sind heute selten.

2 Bier ist wohl das beliebteste Getränk im Ruhrgebiet. Hier wird von Experten die Qualität geprüft.

3 Xanten geht auf die römische Colonia Ulpia Traiana zurück, die von Archäologen außerhalb der heutigen Bebauung ausgegraben wurde. Zwischen Feldern liegt das rekonstruierte Amphitheater. Das Niebelungenlied nennt Xanten als Heimat Siegfrieds.

4 Abendstimmung am Niederrhein bei Rees.

5 Auch der Dom zu Xanten ist einen Besuch wert. Hier eine Innenansicht.

1

2

3

4

5

Weserbergland

Seite 26/27
Eine Dampferfahrt auf der Weser verspricht viel Abwechslung: enge Täler wechseln sich ab mit weiten, baumbestandenen Mulden.

Seite 26
Keine andere Stadt im Weserbergland besitzt so viele Renaissancehäuser wie Hameln. Im Leisthaus ist das Heimatmuseum untergebracht.

Seite 27
Zur Erinnerung an den Rattenfänger finden in Hameln alljährlich die Rattenfängerspiele statt.

Seite 28/29
1 In Flußnähe erlaubt die Bodenqualität den Anbau von Futtergetreide. Die Talflanken sind dem Wald vorbehalten.

2 Die Kasseler Orangerie, einst sommerliches Lustschloß, ist ein barockes Meisterwerk.

3 Bei Minden kreuzen sich zwei Wasserstraßen: die Weser (unten) und der Mittellandkanal.

4 Fürstenberg im Solling ist Standort einer berühmten Porzellanmanufaktur.

5 Dr. Eisenbart war bekannt als Arzt und Quacksalber. An ihn erinnern die Dr.-Eisenbart-Spiele, die jährlich in seinem Sterbeort Münden abgehalten werden.

6 Eine Attraktion sind die Externsteine. Sie bestehen aus sehr hartem Sandstein, der der Abtragung länger widerstanden hat, als seine Nachbargesteine.

7 Die Hämelschenburg ist ein Paradebeispiel für vollendete Weserrenaissance.

1

2

3

4

5

6

7

Der Harz

Seite 30/31
Blick zum Brocken, dem „Dach des Harzes". Heute gehört der Brocken zur DDR und ist militärisches Sperrgebiet.

Seite 31
Links: Wildemann war die kleinste der Harzer Bergstädte. Der „wilde Mann" ist heute eine Touristenattraktion.
Mitte: Gepflegtes altes Fachwerk mit nach oben vorkragenden Stockwerken ziert Goslars Altstadt.
Rechts: Der Kreuzgang ist der am besten erhaltene Teil des ehemaligen Klosters in Walkenried.

Seite 32/33
1 Das Westwerk der Bad Gandersheimer Stiftskirche. Hier im Kloster lebte im 10. Jahrhundert Roswitha von Gandersheim, die erste deutsche Dichterin. Sie schrieb, allerdings noch in Latein, mehrere Verslegenden und zwei Dramen, die die ersten dramatischen Versuche im Mittelalter waren.

2 St. Andreasberg, eine der sieben Bergstädte des Oberharzes. Typisch für diese Städte ist ihre geschützte Lage in Tälern oder, wie im Bild, in weiträumigen Quellmulden.

3 Das hübsche Glockenspiel am Goslarer Marktplatz erinnert an die Bedeutung, die der Bergbau für den Harz hatte.

4 Regelmäßig feiern die Seesener ihr Sehusafest, denn Folklore ist nicht nur bei den Touristen beliebt.

5 Der Turm der Goslarer Marktkirche überragt die Altstadt mit ihren engen Gassen und schieferbeschlagenen Häusern.

6 Charakteristisch sind auch die zahlreichen Felsenburgen. Sie entstanden in Granit, der wollsackförmig verwittert. Hier die Kästeklippe.

1

2

3

4

5

6

Ruhr und Sieg

Seite 34/35
Der Biggesee bei Attendorn ist
der größte der etwa zwei
Dutzend Sauerländer Stauseen.

Seite 34
Oben: Gepflegte Fachwerk-
häuser, wie dieses, bestimmen
zwischen Ruhr und Sieg das
Bild der Landschaft.
Unten: Die berühmte Wupper-
taler Schwebebahn an der
Station Wuppertal-Elberfeld.

Seite 36/37
1 Standbild des Grafen Engel-
bert II., Erzbischof von Köln und
Graf von Berg. Er hatte seinen
Stammsitz hier im Bergischen
Land.

2 Im Lennetal bei
Schmallenberg.

3 In der Nähe von Solingen
überspannt die Müngstener
Brücke das Tal der Wupper.
Der fast 100 Jahre alte Stahl-
riese ist Deutschlands höchste
Eisenbahnbrücke (107 m).

4 Das Felsenmeer bei Heemer
ist ein bekanntes Naturdenkmal.
Es entstand durch oberfläch-
liche Lösungserscheinungen im
Kalkstein.

5 Kohlenmeiler gehören heutzutage zu den Raritäten, denn
bei manchen industriellen
Produktionsprozessen fällt Holzkohle in großen Mengen ab.
Doch dieser Köhler im Sauerland arbeitet noch genauso
wie früher.

6 Bei Balve hat sich das Flüßchen Hönne tief in die harten
Kalksteinriffe eingeschnitten, so
entstand diese enge Schlucht.

1

3

2

4

5

6

Rhön, Spessart und Odenwald

1

2

3

4

5

6

7

Eifel und Hunsrück

Seite 42/43
Das Landschaftsbild der Vulkaneifel prägen die Maare, kreisrunde vulkanische Sprengtrichter, die sich nach dem Erlöschen des Vulkanismus häufig mit Wasser gefüllt haben.

Seite 42
Mainz ist seit den Zeiten Gutenbergs die Stadt der Buchdrucker. Hier wird nach altem Brauch ein frischgebackener Druckergeselle „gegautscht".

Seite 44/45
1 Zell ist einer der schönsten Weinorte an der Mosel. Besonders bekannt ist die Lage „Schwarze Katz".

2 Auf weiten Strecken bildet die Mosel die Trennfuge zwischen Eifel und Hunsrück. So auch hier bei Traben-Trarbach.

3 Wein ist die Haupteinnahmequelle an der Mosel. Die Weinlese bildet den Höhepunkt des Arbeitsjahres der Winzer.

4 Blick auf Idar-Oberstein, das Zentrum der deutschen Edelsteinschleiferei.

5 Der Nürburgring gehört nach seiner Modernisierung wieder zu den renommiertesten Rennstrecken der Welt.

6 Die Klosterkirche Maria Laach ist eines der vollkommensten romanischen Bauwerke in Deutschland. Hier fand Konrad Adenauer während des Zweiten Weltkriegs Zuflucht vor der Gestapo.

1

2

3

4

5

6

Siebengebirge, Westerwald und Taunus

Seite 46/47
Hoch über der Lahn steht der Limburger Dom, der im 13. Jahrhundert erbaut wurde. An ihm kann man den Übergang von der Romanik zur Gotik gut erkennen. Besonders eindrucksvoll ist der wertvolle Domschatz.

Seite 48/49
1 Das tief eingeschnittene Engtal des Mittelrheins ist schon seit jeher eine der bedeutendsten Verkehrsleitlinien Europas. Mit ein Grund, weshalb hier im Mittelalter so viele Burgen entstanden. Im Bild Burg Rheinstein bei Assmannshausen.

2 Nostalgie im Schatten des Doms: Kramladen auf dem Fischmarkt in Limburg.

3 In Bad Ems tranken Kaiser und Könige früher schon heilendes Wasser. Vom ehemaligen Glanz hat sich noch einiges bis in unsere Tage erhalten. Beim Bummel über die Kurpromenade kann man etwas davon spüren.

4 Ein hübscher Blick in das alte Gemäuer der Burg Rheinfels bei St. Goar.

5 Detailansicht des Limburger Doms.

1

2

3

4

5

Saarland und Pfalz

Seite 50/51
Der mächtige Dom zu Speyer
gehört zu den großartigsten
Zeugen romanischer Baukunst.
Er wurde im 11. Jahrhundert
von den salischen Kaisern,
die hier auch beigesetzt wurden, erbaut.

Seite 50
Oben: Eine alte Bachschleiferei
in Idar-Oberstein. Hier wird
demonstriert, wie man früher
die Diamanten mit Wasserkraft
geschliffen hat. Das funktioniert
allerdings nur im Liegen.
Unten: In der Gegend um Dahn
gibt es zahlreiche bizarre Fels-
gebilde aus Buntsandstein. Am
bekanntesten ist wohl der
Teufelstisch.

Seite 52/53
1 Bad Münster am Stein liegt
im Nahetal. Über dem Städtchen
erhebt sich der Rotenfels.

2 Die einzigen Brückenhäuser,
die man heute in Deutschland
noch sehen kann, stehen in
Bad Kreuznach.

3 Überall an der Saar liegen
die Hochöfen, hier die Dillinger
Hütte.

4 Blick auf Saarbrücken.
Mit ihren vielen Saarbrücken
macht die Stadt ihrem Namen
alle Ehre.

5 Nicht weit von der Nahe-
quelle liegt der Bostalsee, der
im Sommer von den Wasser-
sportfreunden sehr geschätzt
wird.

4

5

Mainfranken

1

2

3

4

5

Frankenalb
und Keuperland

Seite 58/59
Hoch über dem Kochertal nahe Schwäbisch Hall thront die Comburg, eine der schönsten Klosterburgen Deutschlands.

Seite 59
Im Jagsthauser Schloßmuseum wird die eiserne Hand des Götz von Berlichingen gezeigt. Ein kleines Wunderwerk früherer Handwerkskunst.

Seite 60/61
1 Stuttgarts Schloßplatz vor dem Neuen Schloß im Zentrum der Stadt.

2 Das Enztal ist typisch für die Flußtäler der Gäulandschaften: tief eingeschnittene „Kästen" mit rebenbestandenen Südhängen.

3 Das Lustschloß Solitude, 1763–67 für Herzog Karl Eugen von Württemberg erbaut, liegt auf einer Anhöhe bei Leonberg. Es ist mit dem Ludwigsburger Schloß durch einen schnurgerade verlaufenden Weg verbunden.

4 Überall wo es Wein gibt in Württemberg, werden auch Weinfeste gefeiert, bei denen es sehr gemütlich zugeht. Wie hier in Strümpfelbach.

5 In den Waldbergen der Keuperstufe legten früher die Holzflößer zahlreiche Teiche an, die heute als Badeseen sehr beliebt sind.

6 Charakteristisch für die Sandsteinschichten des Schwäbischen Waldes sind die versteckt liegenden, tief eingeschnittenen Bachläufe, deren Täler man als „Klingen" bezeichnet.

1

2

3

4

5

6

Schwäbischer Wald

Hohenlohe
Kraichgau

1

2

3

4

5

Bayerisches
Grenzland

1

2

3

4

5

6

7

München und Niederbayern

1

2

3

4

5

Oberbayern

Seite 74/75
Charakteristisch für die Kalkalpen sind besonders schroffe Felswände und Grate, wie hier im Karwendelgebirge bei Mittenwald.

Seite 76/77
1 Tradition und Fortschritt liegen dicht beieinander: Erdfunkstelle Raisting am Ammersee.

2 Das Neue Schloß von Herrenchiemsee macht seinem Beinamen „bayerisches Versailles" alle Ehre. Es wurde 1885 nach den Vorstellungen Ludwigs II. fertiggestellt.

3 Eine Floßfahrt auf der Isar gehört zu den besonderen Erlebnissen einer Reise nach Oberbayern.

4 Aschau im Chiemgau mit seiner malerischen, ins Landschaftsbild eingepaßten Barockkirche.

5 Blick auf Rottach-Egern am Tegernsee, der ringsum von hohen Bergen eingerahmt wird.

6 Das Fingerhakln gehört zu den traditionellen „Sportarten" in Bayern.

7 St. Bartholomä am Königssee, zu Füßen der berüchtigten Ostwand des gewaltigen Watzmannmassivs.

1

2

3

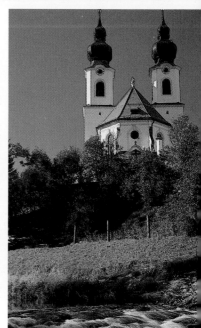

4

5

6

7

Oberschwaben
und Bodensee

Seite 78/79

„Schönste Dorfkirche der Welt", so wird dieses barocke Kleinod in Steinhausen häufig liebevoll genannt. Ein Blick ins Innere zeigt, daß dies wohl keine Übertreibung ist.

Seite 79

Die Fasnet ist uraltes Brauchtum im schwäbisch-alemannischen Raum. Schloß Langenstein bei Stockach beherbergt ein interessantes Faschingsmuseum.

Seite 80/81

1 Der Bodanrück ist eine ganz „besondere" Landschaft am Bodensee. Er besteht aus Sandsteinschichten, die über den Seespiegel hinausragen. Die Bäche besitzen deshalb extremes Gefälle und haben dunkle, steile Schluchten eingeschnitten.

2 Wenn man Meersburg besucht, versteht man, warum die Dichterin Anette von Droste-Hülshoff hier die letzten acht Jahre ihres Lebens verbrachte. Ein beschaulicheres Umfeld läßt sich kaum denken.

3 Bei klarem Wetter bietet sich vom Fellhorngebiet ein grandioser Ausblick auf die Lechtaler Alpen.

4 Ein bißchen wie im Mittelalter: Hübsch herausgeputzt sind Roß und Reiter bei den alljährlich stattfindenden Kaltenberger Ritterspielen.

5 Idyllisch am Bodensee gelegen: Wasserburg mit seinem Hafen.

1

2

3

3

4

5

Schwarzwald und Oberrhein

Seite 82/83
Ein typisches Schwarzwaldtal mit seinen verstreut liegenden charakteristischen Schwarzwälder Bauernhäusern.

Seite 83
Oft noch findet man Schwarzwälder Trachten. Links ein „Schäppel", wie dieser Kopfschmuck aus St. Märgen genannt wird, rechts ein Bollenhut aus dem Guttachtal.

Seite 84/85
1 Besonders idyllisch ist das Hexenlochtal bei Furtwangen.

2 Die Mönche von Hirsau waren wahrscheinlich die ersten Menschen, die sich im 8. Jahrhundert in der Wildnis des Schwarzwaldes niederließen.

3 Der Kaiserstuhl ist eines der bekanntesten Weinbaugebiete Deutschlands. Vor einigen Jahren wurden die alten, steilen Weinberge in großflächige Rebterrassen umgewandelt, die nun maschinell bearbeitet werden können.

4 Der Luftkurort Zell am Harmersbach liegt im mittleren Schwarzwald. Er gehört zu den hübschesten Fachwerkstädtchen.

5 Am Säckinger Schloß: eine Reminiszenz an den berühmten Trompeter.

6 Blick auf Freiburg mit seinem gotischen Münster, dessen filigran gearbeiteter Turm oft als schönster Turm der Christenheit bezeichnet wird. Der Bau des Münsters begann um 1200 und erst 1513 war das Werk vollendet.

1

2

3

4

5

6

Schwäbische Alb

Seite 86/87

Auch so kann die Schwäbische Alb aussehen: Die Steppenheide „Gereuthau" bei Engstingen.

Seite 86

In Nördlingen ist der mittelalterliche Stadtkern fast vollständig erhalten geblieben. Im Hintergrund erkennt man die Randhöhen des Nördlinger Rieses, das als größter Meteoritenkrater der Erde gilt.

Seite 87

Schloß Lichtenstein wurde 1840/41 in neugotischem Stil für Graf Wilhelm von Württemberg, den späteren Herzog von Urach, gebaut.
An dieser Stelle stand allerdings schon eine mittelalterliche Burg, die 1802 abgetragen wurde. Von dieser handelt Wilhelm Hauffs Roman „Lichtenstein".

Seite 88/89

1 Der Blautopf ist eine der größten Karstquellen in Europa. Die Schüttung beträgt durchschnittlich 2000 Liter pro Sekunde.

2 Tübingen, eine der ältesten deutschen Universitätsstädte. Besonders sehenswert ist der Marktplatz mit der schönen Rathausfassade.

3 Die Zwiefaltener Klosterkirche gehört zu den drei schönsten Gotteshäusern auf der Schwäbischen Alb.

4 Früher war die Alb das größte Schafhaltungsgebiet in Süddeutschland. Sie bot eine Grundlage für die bedeutende Textilindustrie dieser Region.

5 Blick auf den Albtrauf mit Gelbem Fels und der Teck. Im Tal liegen Owen und Brücken.

6 Bei Bad Urach entspringt der Uracher Wasserfall, der höchste der Alb.

7 Fast endlos weit wirkt die Albhochfläche hier bei Bermadingen.

1

2

3

4

5

6

7

SCHLESWIG-HOLSTEIN, LAND ZWISCHEN DEN MEEREN

Die Halligen, von denen es insgesamt zehn gibt, bilden eine Inselgruppe vor Schleswig-Holsteins Westküste. Sie sind die Überreste der durch die beiden großen Sturmfluten von 1362 und 1634 zerstörten Küste.

Die Ufer der Halligen werden heute durch Sommerdeiche und Steinböschungen gesichert. Steigt das Hochwasser allerdings einmal mehr als einen Meter über das mittlere Hochwasser, dann überflutet das Meer die Halligen.

Deshalb hat man die Häuser auf Wurten gebaut, die einen sicheren Schutz bieten.

Gebäude auf einer Wurt der überfluteten Hallig Hooge.

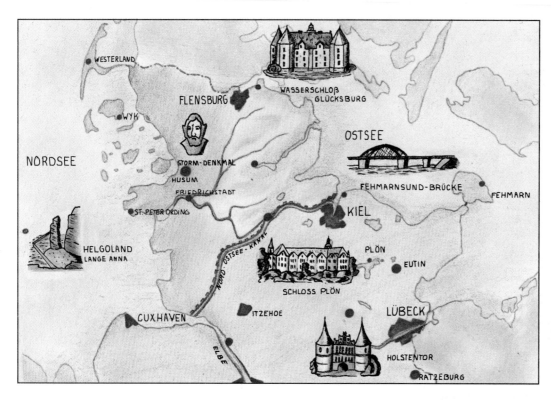

Nährstoffe in diesen Endmoränenböden sind noch nicht ausgewaschen. Die Landschaften Angeln, Schwansen, Dänischer Wohld und Probstei gehören zu den fruchtbarsten in Deutschland. Die geologischen Formen sind hier noch fast so frisch, wie sie von den Gletschern verlassen wurden. Hier ist Schleswig-Holstein nicht flach, sondern ein Hügelland. Die Gletscher und ihre unter dem Eis strömenden Schmelzwässer gruben Rinnen und Löcher in die Landschaft, die später voll Wasser liefen. Die Schmelzwasserrinnen wurden zu den Förden der Ostsee, die „Löcher" zu den herrlichen Seen dieser Gegend, die man Holsteinische Schweiz nennt. Mit dieser Landschaftsbezeichnung ist es den Einheimischen ernst: Auf den „Montblanc des Nordens", den 168 Meter hohen Bungsberg führt sogar ein Skilift…

Land zwischen den Meeren

Schleswig-Holstein, das nördlichste deutsche Bundesland, besteht aus dem ehemaligen Herzogtum Schleswig und der früheren Grafschaft Holstein, die schon seit rund 600 Jahren – „up ewig ungedeelt" – gemeinsam regiert werden. Schleswig-Holstein, meerumschlungen und erdverbunden, ist das Land der ziehenden Wolken, der schwarzgefleckten Kühe, Windmühlen, Steilküsten, Strände und Strohdachhäuser. Begrenzt wird es von Nord- und Ostsee, im Süden reicht es bis zur Elbe und im Norden bis zur dänischen Grenze.

Marsch, Geest und Holsteinische Schweiz

Wer sich mit Schleswig-Holstein beschäftigt, sollte zuerst etwas über die Entstehung seiner Landschaften erfahren, um so die Besonderheiten besser verstehen zu können. Dabei lernt man den fundamentalen Unterschied zwischen Marsch und Geest kennen. Der geologische Baumeister der Marsch war und ist die Nordsee, ihre Wellen lagerten Schlick und Sand ab. Daraus kann durch Entwässern und Eindeichung neues Land gewonnen werden, das dann sehr fruchtbar ist. Doch bei Sturmfluten wird immer wie-

der Land vom Meer zerstört. Der Mensch baute zwar ständig höhere und stabilere Deiche, doch können auch sie keinen absoluten Schutz bieten. Rungholt, die sagenhafte untergegangene Stadt sowie Theodor Storms Schimmelreiter gelten als Symbole für die katastrophalen Niederlagen, die die See den Menschen bereitet hat. Die Geest ist dagegen eine ganz andere Landschaft. Sie entstand in der vorletzten Eiszeit, als die aus Skandinavien vorstoßenden Gletscher

Bild 1
Sylt aus der Vogelperspektive.
Ein Blick auf das beliebte Ferienziel.

hier Schutt zu Moränen zusammenschoben. Das Schmelzwasser und das Regenwasser vieler Jahrtausende spülte die feine Erde aus den Moränen aus; übrig blieb fast reiner Sand. Unfruchtbarer Boden also, der vor der Erfindung des Kunstdüngers kaum zu irgendeinem Ackerbau taugte. Der Osten Schleswig-Holsteins ist dann wieder sehr fruchtbar. Bis hierhin stießen die Gletscher der letzten Eiszeit vor, deren Ende „erst" wenig mehr als 10000 Jahre zurückliegt. Die

Bild 2
Am Strand von Büsum stehen an Sommertagen die Strandkörbe dicht an dicht. Sie bieten gleichermaßen Schutz vor Sonne und einer leichten Brise.

Bild 5
Helgoland-Bewohner nennen
den vorgelagerten Felsblock die
„Lange Anna".
Bild 3
Bewachsene Priele

5

6

Bild 6
Auch heute werden
in Norddeutschland viele
Häuser mit Reet gedeckt.
Trotzdem gibt es nur noch
wenige Reetdachdecker.
Hier sieht man drei Männer
bei ihrer Arbeit.
Bild 4
Mit seinem kräftigen Rot ist der
Leuchtturm von Pellworm ein
Wegweiser, der schon von weitem
zu sehen ist.

Inseln und Halligen im Wattenmeer

Schleswig-Holsteins unterschiedliche Landschaften liegen dicht beieinander, von einem zentral gelegenen Ferienort sind sie alle bequem mit dem Auto in Tagesausflügen zu erreichen.

Fahren wir zunächst an die Westküste. Straßendämme führen zur Insel Nordstrand und auf die Hamburger Hallig, mit dem Autozug kommt man von Niebüll über den Hindenburgdamm nach Sylt, Deutschlands größter Nordseeinsel. Die anderen Inseln, Amrum, Föhr und Pellworm, sowie die Halligen erreicht man mit dem Fährschiff. Die schönsten Badestrände und Dünen haben die aus ehemaligen Geestresten bestehenden Inseln Sylt, Amrum und Föhr, wo der Sandboden bis ans Meer reicht. Marscheninseln mit Deichen sind Pellworm und Nordstrand. Baden kann man hier zwar auch, doch gibt es kaum Sandstrände: Marschen haben Schlickufer, an denen Gras wächst. Jede Insel ist eine Welt für sich, genauso wie jede Hallig. Halligen haben keine Deiche, ihre Häuser liegen auf Warften, künstlichen Hügeln, die zum Schutz vor dem „Blanken Hans" schon seit rund 2000 Jahren von den Küstenbewohnern aufgeschüttet wurden. Die Halligenlandschaft des Wattenmeeres sucht auf der Welt ihresgleichen. Bei Niedrigwasser ist hier „Land" auf dem sich Seehunde sonnen, bei Hochwasser Meer. Die Halligen scheinen dabei manchmal – durch Luftspiegelungen – über dem Horizont zu schweben. Fischer sind dann mit ihren Kuttern unterwegs, um Schollen und Krabben zu fangen.

Bild 7
Zu besonderen Anlässen wird sie noch immer gerne getragen, die schöne Amrumer Tracht.
Bild 8
Das ehemalige Wohnhaus des Malers Emil Nolde (1867–1956) in Seebüll, ist heute ein Museum. Hier kann man seine Werke besichtigen und die Atmosphäre vergangener Zeiten auf sich wirken lassen.

7

8

Die Marschen und ihre Marktstädte

Hinter dem Festlandsdeich beginnt die eigentliche Marsch, deren Stimmungen und Farben der Maler Emil Nolde wohl am besten eingefangen hat; seine Bilder werden im Museum in Seebüll (nahe der dänischen Grenze) ausgestellt. Besonders fruchtbar sind die Landschaften Eiderstedt und Dithmarschen, an deren Westufern so berühmte Badeorte wie Bad St. Peter-Ording und Büsum liegen. Das Meer schuf hier weite Dünen und Sandstrände.

Husum, nach Ansicht ihres berühmtesten Sohnes, Theodor Storm, die „graue Stadt am Meer", liegt wie fast alle Städte der Westküste an der Nahtstelle zwischen Marsch und Geest, dort, wo Marschbauern und Geestbauern sich auf dem Markt trafen. Husum hatte einst einen berühmten Viehmarkt, und der Marktplatz von Heide ist der größte in ganz Schleswig-Holstein.

Ein weiterer Lagevorteil des höher gelegenen Geestrandes: Bei Flutkatastrophen ist dieses Gelände absolut hochwassersicher!

Von der Heide zum Ackerland: die Geest

Die Geest ist auch heute noch das Land der „stillen Dörfer". Schnurgerade Straßen verbinden die weit voneinander entfernt liegenden Ortschaften. Äcker gibt es hier erst seit wenigen Jahrzehnten. Früher herrschten Heiden und Moore vor. Die großen Felder („Schläge" sagen die Einheimischen) werden von den „Knicks" eingefaßt. Das Gebüsch dieser Hecken wird im Winter „geknickt", wenn man nämlich Brennholz braucht. Im Land der starken Westwinde und Regenschauer sind die Knicks ein wirksamer Schutz vor Bodenerosion. Die traditionell wichtigsten Verkehrsadern sind hier die Wasserstraßen. Treene und Eider allerdings, wo einst die Wikinger schipperten, sind heute fest in den Händen der Ruderer und Paddler. Für moderne Handelsschiffe wurde der Nord-Ostsee-Kanal (Brunsbüttel-Kiel) gebaut. An den vielfach gewundenen Flüßchen liegen Sümpfe und Moore, in denen die Störche der größten Storchenkolonie Deutschlands ihre Frösche fangen. Doch auch dort, in Bergenhusen, brüten Jahr für Jahr weniger Klapperstörche, da die wachsende Umweltbelastung ihre Nahrungsgrundlage immer mehr zerstört.

Die Förden und ihre Naturhäfen

In früheren Jahrhunderten war es am einfachsten, die Handelsgüter auf dem Wasser zu transportieren. Von der Ostsee fuhr man auf den Förden möglichst weit landeinwärts. Am Ende der Förden wurden die mittelalterlichen Hafenstädte Flensburg, Schleswig, Eckernförde, Kiel und Lübeck gegründet. Im Mittelalter hatte die Ostsee als Handelsraum größere Bedeutung als heute. Haithabu, südlich von Schleswig an der Schlei gelegen, war einer der bedeutendsten Handelsplätze des frühen Mittelalters. Von hier aus transportier-

ten Wikinger ihre Waren nur wenige Kilometer über Land und verluden sie in Hollingstedt wieder auf Schiffe; über Treene und Eider gelangten ihre schnittigen Boote in die Nordsee. Haithabu, im frühen Mittelalter dem Erdboden gleichgemacht, ist heute eine Art „archäologisches Nationalheiligtum", wo man die Überreste einer Wikingersiedlung besichtigen kann. Später wurde Schleswig die Hafenstadt an der Schlei. Hier gibt es im Dom den Bordesholmer Altar und in Schloß Gottorf das Landesmuseum zu besichtigen. Die Königin der Ostseehafenstädte war und ist jedoch Lübeck. Vom ehemals ungeheuren Reichtum der Hansestadt zeugen die prächtigen Bürgerhäuser, das Rathaus und das Holstentor. Hier spielt Thomas Manns Roman „Die Buddenbrooks". Die betriebsamere Hafenstadt ist heute – auch wegen der Marine und vielen Regatten („Kieler Woche") – die Landeshauptstadt Kiel.

Bild 1
Spitzenklöppelei, früher ein weit verbreitetes Gewerbe, ist heute selten anzutreffen. Spitzen sind jedoch nach wie vor sehr begehrt.

Bild 2
Im Freilichtmuseum Molfsee bei Kiel scheint die Zeit stillzustehen.
Bild 3
Strandigel und Seesterne sind zwar immer seltener geworden, aber man findet sie noch immer.
Bild 4
Steilküsten sind charakteristisch für viele Strandabschnitte der Ostsee, wie etwa an der Hohwachter Bucht.
Bild 5
Lübeck ist eine der schönsten Städte Norddeutschlands. Die alte Hansestadt wurde 1143 von Graf Adolf II. von Holstein gegründet.
Ihr Wahrzeichen, das Holstentor, wurde im 15. Jh. von Hinrich Helmstede errichtet.

4   3

1   5

2

Bild 6
Thomas Mann (1875–1955) ist wohl der berühmteste Sohn Lübecks. Hier spielt auch sein erster Roman „Die Buddenbrooks" (1901). Das „Buddenbrookhaus" in der Mengstraße 4 ist heute Anziehungspunkt für viele literarisch interessierte Touristen.
Bild 7
Aufgepeitscht vom Wind: Nordseewellen

Bild 8
Das Eider-Sperrwerk ist das größte und modernste Küstenschutzbauwerk in Deutschland. Es reguliert den Abfluß der Eider in die Nordsee und schützt das flache, tiefgelegene Marschland vor Sturmfluten.
Bild 9
Das Bauen von Buddelschiffen ist in Norddeutschland ein beliebtes Hobby.

7

8

9

Die Ostseeküste: Strände, Steilküsten und eine Insel

Zwischen den Förden, den Paradiesen für Segler und Surfer, liegen die malerischen Ostseeküstenlandschaften: Weite Sandstrände und steinige Steilküsten wechseln einander ab, Wälder und fruchtbare Äcker reichen direkt bis an die Küste. Die Ostsee ist meistens etwas zahmer als die Nordsee. Sturmfluten gibt es hier allerdings auch hin und wieder, doch sind sie nicht so katastrophal wie an der Nordsee. An vielen Stränden entstanden moderne Ferienzentren wie Damp, Heiligenhafen und Timmendorfer Strand. Aber auch derjenige findet an der 383 Kilometer langen Ostseeküste Schleswig-Holsteins ein Fleckchen, der es lieber ruhiger mag. Auf der einzigen Ostseeinsel der Bundesrepublik, Fehmarn, liegen belebte Bäder und stille Winkel zum Beispiel dicht beieinander. Über Fehmarn rollt ein Hauptteil des Verkehrs nach Skandinavien. Fehmarnsundbrücke und die Fähre nach Dänemark gehören zur „Vogelfluglinie".

Im Südosten ist alles ganz anders

Die Holsteinische Schweiz und der Mecklenburg ähnliche Naturpark „Lauenburgische Seen" sind auch Gebiete, in denen der Fremdenverkehr ein wichtiger Wirtschaftsfaktor ist, doch ist hier alles sehr viel binnenländischer. Es gibt viel Wald und Hügelland, Flüßchen und Seen. Zwischen den Seen liegen die hübschen Städte Preetz, Plön, Malente, Eutin, Bad Segeberg, Ratzeburg und Mölln, in denen es von der Kalksteinhöhle (Bad Segeberg) bis zum mittelalterlichen Backsteindom (Ratzeburg) allerhand zu entdecken gibt. Die heitere Symbolfigur der Stadt Mölln ist Till Eulenspiegel.

Die ostholsteinischen Städte hatten ihre große Zeit im Mittelalter, als bedeutende Handelswege wie die „Alte Salzstraße" (Lüneburg-Lübeck) durch sie hindurch führten. Heute liegen sie abseits vom großen Lärm der Welt, was sie gerade für den Besucher, der keine Hektik sucht, so interessant macht.

HAMBURG – WELTSTADT AM RANDE DER HEIDE

Nicht alle Tage präsentiert sich der Hamburger Hafen im „Festtagsgewand" wie dann, wenn sein Geburtstag gefeiert wird. Die Neustadt um St. Nikolai erhielt 1189 die Handels-, Zoll- u. Schifffahrtsprivilegien auf der Niederelbe. Damit war die Grundlage für Hamburgs Entwicklung als Handelsstadt geschaffen. Der Tag, an dem diese Urkunde 1189 ausgestellt wurde, der 7. Mai, wird jedes Jahr als „Überseetag" gefeiert.

Hamburger „Hafengeburtstag"

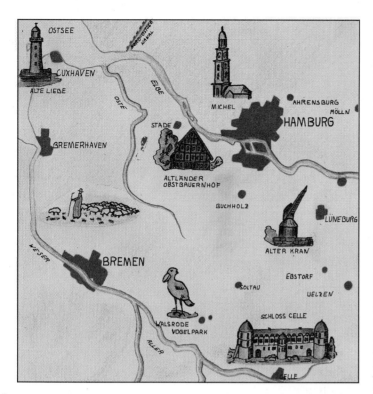

Von der Elbe in die Heide

Niederelbe, Hamburg und die Heide bilden – wenn man es so will – eine landschaftliche Schicksalsgemeinschaft.
Hamburg, seit Jahrhunderten Deutschlands wichtigste Hafenstadt, braucht natürlich ein schiffbares Gewässer, um existieren zu können. Das ist die Elbe; aber warum entstand die Hafenstadt gerade dort, rund 100 Kilometer landeinwärts, und nicht etwa direkt am Meer? Das hat gute Gründe, die man beim Blättern im geologischen Geschichtsbuch erfährt.

Bild 1
Die kleine Stadt Hitzacker liegt sehr reizvoll am Hochufer der Elbe.

Bild 2
Hoheit für ein Jahr:
die Heidekönigin.

Die Elbe einst und jetzt

Die Elbe ist heute, gemessen an dem Riesenstrom, der ihr Tal am Ende der Eiszeit durchfloß, nur ein unbedeutendes Rinnsal. Damals schmolzen große Mengen Gletschereis ab; das Schmelzwasser schuf das Urstromtal der Elbe, das man vom Süllberg in Hamburg-Blankenese besonders gut überblicken kann. Jahrtausendelang lagerte der Fluß links und rechts seines Bettes fruchtbarsten Boden ab. Vier- und Marschlande, Altes Land und Haseldorfer Marsch gehören zu Deutschlands wichtigsten Gemüse- und Obstbaugebieten, von wo aus nicht nur Hamburg mit Lebensmitteln versorgt wird. Auch in der Wilstermarsch, in Kehdingen und Hadeln wird Landwirtschaft betrieben.

Hamburg – Hafenstadt par excellence?

Hamburg ist so weit von der Nordsee entfernt, daß der Tidenhub von Ebbe und Flut hier nur gering ist; das ist für einen Hafen natürlich wichtig, denn wie sollte man bei meterhohen Gezeitenschwankungen in Ruhe Schiffe be- und entladen? Andererseits ist der Gezeitenstrom in Hamburg noch kräftig genug, um die Strömung des Flusses zu verlangsamen. Die Elbe wird durch die in ihren Mündungstrichter eindringende Flut leicht aufgestaut und teilt sich deshalb bei Hamburg in zahlreiche Nebenarme auf. Diese Nebenarme sind ideale natürliche Hafenbecken, die durch flache Furten führen, die schon den Rentierjägern der Steinzeit genau bekannt waren. Seither führen nahezu alle Landverkehrswege von Mittel- nach Nordeuropa über Hamburg. Hamburg nennt sich zu Recht das „Tor zur Welt". Bis vor wenigen Jahren war der Hafen einer der belebtesten Europas, heute hat er unter der Konkurrenz anderer Häfen zu leiden. Nur unter großen Schwierigkeiten kann die Fahrrinne der Elbe tief genug gehalten werden, um den immer größer werdenden Ozeanriesen die Einfahrt in den Hamburger Hafen zu ermöglichen.

3

4

Bild 3
Charakteristisch für die alten Heidekirchen ist ein freistehender Glockenturm wie in Undeloh.
Bild 4
Wo die Heide blüht, stehen Bienenhäuser.
Bild 5
In der Lüneburger Heide kann man auch Hünengräber finden.

7

6

Das feine und das weniger feine Hamburg

Im vornehmen Hamburg gibt es herrliche Parks und Villen, dort trinkt man den Kaffee „Hochkamp", das heißt, die Tasse nur halbvoll. Es ist dies die Welt der Reedereibesitzer, Kapitäne und Großkaufleute, die ihre Häuser an der Elbchaussee, in den Elbvororten Hochkamp und Blankenese oder in Pöseldorf und Harvestehude an der Alster haben. Anderswo sind die Kaffeetassen unvornehm randvoll, „Barmbek" – dort und in den östlichen Vorstädten oder in der Altonaer „Mottenburg" ist die Welt von Klein Erna. Das alte Hamburg hat zwei Feuersbrünste, 1842 und 1943, nicht überstanden, es wurde neu aufgebaut.

Man muß schon gut zu Fuß sein, will man alles Interessante und Sehenswerte per pedes ergründen: die Geschäfte in der Mönkebergstraße, am Neuen Wall und in den Colonnaden, die Alsterpromenade am Jungfernstieg, St. Pauli-Landungsbrücken, die Reeperbahn, das traditionelle Amüsierviertel für Seeleute und Landratten, die Speicherstädte des Hafens und den Altonaer Fischmarkt.

Bild 6
Stade, früher direkt an der Elbe gelegen, ist heute vier Kilometer vom Fluß entfernt. Als Mitglied der Hanse war die Stadt schon immer recht wohlhabend.
Bild 7
Ein Blick auf das Doppelschiffshebewerk, Scharnebeck am Elbe-Seiten-Kanal, eine der modernsten Anlagen dieser Art.
Bild 8
Cuxhavens „Alte Liebe" ist wohl Deutschlands bekanntester Schiffsanlegeplatz. Von hier aus kann man den Schiffsverkehr gut beobachten.
Bild 9
Beim Be- und Entladen vor Hamburgs Speicherhäusern wird Schwerarbeit geleistet.

Aus den Hinterhöfen in die Heide

Hamburg wuchs in den ersten Jahren dieses Jahrhunderts zur Millionenstadt heran. In den grauen Mietskasernen der Arbeiter ebenso wie in den großbürgerlichen Kreisen wurde der Sonntagsausflug ins Grüne immer beliebter. Zum häufig besuchten Ziel der Hamburger entwickelte sich die „Heide", genauer gesagt, die Lüneburger Heide. Wenige Jahrzehnte zuvor war diese Gegend noch als abweisend empfunden worden; Postkutschen blieben auf sandigen und moorigen Wegen stecken, zwischen abenteuerlichen Wacholdergestalten trieben unheimliche Nebelschwaden, und für landwirtschaftliche Nutzung taugte diese Gegend kaum. Dieses „Urtümliche" aber gerade war es, was die Leser des Heidedichters Hermann Löns anzog. Die „Heide" wurde – ähnlich wie die „wilden Alpen" – zum Inbegriff dessen, was Naturschutz bewahren muß.

8

9

Um den 169 Meter hohen Wilse-
der Berg entstand zu Zeiten der
Jugendbewegung um 1900 der
Naturschutzpark, das heutige
Herzstück der Lüneburger Heide.
Dort herrschen besondere Ge-
setze: Am Rand des Naturschutz-
parkes muß man das Auto ab-
stellen und in den Kutschwagen
oder auf „Schusters Rappen" um-
steigen; Feriensiedlungen dürfen
nicht gebaut werden, erst recht
keine Fabriken.

Ob die Heide wirklich eine Hei-
delandschaft bleibt oder nicht,
entscheiden neben den Menschen die Heidschnucken, die alles außer Wacholder und Heide-
kraut kurz und klein fressen. Sie
verhinderten und verhindern
damit die Wiederbewaldung der
Heide, die durch rücksichtslosen
Raubbau an den ursprünglichen
Eichen-Birken-Wäldern seit frühgeschichtlicher Zeit entstanden
ist. Es war vor allem der enorme
Holzbedarf der Lüneburger Salz-
sieder, der zur Heideentstehung
führte. Ein „wunderschönes
Land", wie es im bekannten Hei-
delied heißt, ist die Lüneburger
Heide aber in jedem Fall, auch
wenn diese Landschaft von
Menschenhand stammt. Ein Pa-
radies für Wanderer und Reiter,
besonders zur Zeit der Heide-
blüte. Nur wie lange noch?
Die Heidschnuckenherden sind
immer seltener geworden, und
das Vordringen des Waldes oder
zumindest einer Strauchvege-
tation kann nur durch geplante
Beweidung der Heide verhin-
dert werden.

1

2

Bild 1
Viele der Bauernhäuser haben
noch das typische Reetdach.
Bild 2
Attraktives Ziel am Südrand der
Heide ist Celle mit seinen
Fachwerkhäusern und dem Schloß.
Es wurde 1292 errichtet.
Von 1378 bis 1705 residierten hier
die Fürsten von Lüneburg.
Als besondere Kleinodien gelten
die Schloßkapelle von 1470 und
das barocke Schloßtheater mit der
ältesten Bühne Deutschlands.
Bild 3
Trachtenpaar aus den Vierlanden.

3

Sinn und Unsinn von Moorkultivierung und Heideaufforstung

Noch vor wenigen Jahrzehnten, als der Kunstdünger noch nicht erfunden war, hatte die Heide eine viel größere Ausdehnung. Sie bedeckte einen weiten Teil des Landes zwischen Hamburg, Bremen, Hannover und Braunschweig. Zuerst rückte man den Mooren zu Leibe, denn durch die Trockenlegung hoffte man fruchtbare Böden zu schaffen, und der dort lagernde Torf war obendrein ein willkommener Brennstoff im holzarmen Norddeutschland. Die Moore wurden fast restlos zerstört, doch reiche Ernten stellten sich in den Moorgebieten zunächst nicht ein. Erst die modernen Tiefpflüge schufen fruchtbareres Bauernland.

Auch die Heide kam unter den Pflug oder wurde aufgeforstet. Besonders in der Süd- und Ostheide entstanden weite Kiefernwälder, die allerdings nicht besonders wirtschaftlich sind, denn die Böden sind mit Ortstein durchsetzt und derartig unfruchtbar, daß selbst die so genügsamen Kiefern nur sehr langsam wachsen können. Zudem brennt Kiefernholz in trockenen Sommern wie Zunder. An den breiten Schneisen, die das Feuer in die Wälder gebrannt hat, ist das auch Jahre nach einem Waldbrand noch zu erkennen.

4

5

Bild 4
Landwirtschaftsmuseum in Hösseringen.
Bild 5
Backsteinbauten „Am Sande"
in Lüneburg.
Bild 6
„Haus im Schluh" mit der Heinrich-Vogeler-Sammlung in Worpswede.

6

Der städtische Rahmen der Heide

Einen ausführlichen Besuch verdienen die beiden alten Städte der Heide: die Fachwerkstadt Celle mit ihrem bedeutenden Renaissanceschloß und vor allem Lüneburg, dessen Bürger die Heide schufen und ihr ihren Namen gaben. Zunächst stand nur eine Grenzburg auf dem Lüneburger Kalkberg. Hermann Billung hatte sie um 950 als Verteidigungsposten gegen die Wenden erbaut. Bereits sechs Jahre später schmiegte sich eine kleine Siedlung an den Kalkberg. Ihre Bewohner begannen bald, die Saline zu nutzen, denn Salz war im Mittelalter eines der kostbarsten Handelsgüter. Es dauerte folglich nicht lange, bis Lüneburg zur bedeutendsten Stadt der Heide aufstieg. Holz stand den Salzsiedern genügend zur Verfügung, denn die heutige Heide war damals ja noch dicht bewaldet. Neben dem Salz besaß Lüneburg noch weitere Einkommensquellen. Die Stadt war wichtigster Handels- und Umschlagplatz zwischen Hamburg und Hannover – es wurden vor allem Heringe gehandelt. Außerdem besaß Lüneburg einen Binnenhafen und eine Brücke über die Ilmenau.

Die Stadt besteht aus vier Siedlungszellen, die sich um die um 1300 planmäßig, d.h. mit rechteckigem Grundriß, angelegte Neustadt gruppieren: das Fischerdorf Modestorpe, die Bürgersiedlung, die Saline und die Hafensiedlung.

Vom 14. bis 16. Jahrhundert war Lüneburg eines der führenden Hansemitglieder. Wie wohlhabend die Stadt damals gewesen sein muß, beweisen die heute noch erhaltenen prachtvollen Backsteinfassaden der Bürgerhäuser mit ihren charakteristischen Renaissancegiebeln sowie die gotische St.-Johannis-Kirche und die 1418 vollendete Michaeliskirche. Der Kran am alten Hafen wurde 1346 erstmals erwähnt und kündet heute noch von der einstigen Bedeutung der Lüneburger Schiffahrt. Die rücksichtslose Ausbeutung der Saline bescherte der Nachwelt jedoch eine ausgesprochen unangenehme Hypothek. Die Auslaugung des Untergrundes führt im Lüneburger Stadtbereich immer wieder zu Bodenabsenkungen, in deren Folge sich schwere Gebäudeschäden einstellen. Nicht selten müssen ganze Häuser abgerissen werden. Doch wer hätte in früheren Jahrhunderten schon auf insgesamt 30 Millionen Goldmark jährlich verzichten wollen – so hoch waren in etwa die Gewinne, die die Saline abwarf.

Zum Schluß noch Satemin und Thunpadel

Östlich der Heide gibt es noch ein Gebiet von besonderem Reiz, das Wendland. Hier siedelten einst slawische Wenden; sie bauten die Rundlingsdörfer, in denen alle Bauernhäuser um einen unbebauten Platz stehen. Kirchen wurden erst später, als die Dorfbewohner zum Christentum bekehrt waren, am Ortsrand gebaut. Besonders schön ist der Rundling Satemin bei Lüchow. Andere Wendendörfer erkennt man an ihren außergewöhnlichen Namen: Pommoissel, Waddeweitz und Thunpadel. Heute auf drei Seiten Grenzland zur DDR und von Verkehrsadern – wie etwa an den Dömitzer Elbbrücken (Grenzbeobachtungspunkt) – gewaltsam abgeschnitten, wäre das Wendland kaum bekannt, würde nicht in Gorleben der Bau eines Atommülllagers geplant. So ist das Wendland zu einem Schauplatz für den Kampf gegen die Atomwirtschaft geworden. Dieses fast unberührte Land, in dem es noch Kraniche, Fischadler, Sumpfporst und Sonnentau, Königsfarn, einsame Dörfer und nicht enden wollende sandige Waldwege gibt.

LAND AUS WIND UND WASSER – OST-FRIESLAND

Das Land zwischen Ems und Weser wurde nicht nur vom Meer geformt. Die Geest ist eine Schöpfung der letzten Eiszeit. Diese hochwassersichere Zone war schon früh besiedelt. Das Pestruper Gräberfeld ist eines der größten Grabhügelfelder im nordwestdeutschen Raum. Bei Ausgrabungen wurden Spuren von Brandbestattungen gefunden, die aus der Zeit zwischen dem 9. und 2. Jahrhundert v. Chr. stammten.

Pestruper Gräberfeld

3

Zwischen Ems und Weser

Zwischen Ems und Weser liegt nach landläufiger Vorstellung Ostfriesland. Das stimmt zwar, doch nimmt Ostfriesland nicht das ganze Gebiet zwischen den beiden Flüssen ein. Es war früher ein Staatsgebilde um die Städte Leer, Emden und Aurich herum. Daran schlossen sich östlich Jeverland, Oldenburg und Butjadingen, also das Land „buten (außen) der Jade" an und westlich zwischen unterer Ems und Dollart das Rheiderland.

Das heutige Ostfriesland umfaßt das gesamte Gebiet zwischen Dollart und Jadebusen sowie die ostfriesischen Inseln. Der Regierungsbezirk heißt „Weser-Ems" und wird in Aurich verwaltet.

Die frühere Staatsform der Ostfriesen war ungewöhnlich: Sie hatten keine Könige oder Fürsten, sondern Häuptlinge, was im Mittelalter vor allem den benachbarten Oldenburgern sehr suspekt war.

Es gibt noch immer Besonderheiten in Ostfriesland. Autofahrer werden darauf durch ein ungewöhnliches Verkehrsschild aufmerksam gemacht: „Achtung, Friesensport". Hier wird geboßelt, das heißt, es wird eine schwere Hartholzkugel auf der Straße von Dorf zu Dorf gerollt, wobei die „Käkler und Mäkler" als kommentierende Zuschauer ebenso wichtig sind wie der reichlich flie-ßende „Korn" oder „Kümmel". Es muß entweder ein bestimmtes Ziel getroffen werden, oder die Kugel soll mit einer vorgegebenen Anzahl von Würfen möglichst weit befördert werden. Das Spiel wurde schon zu Beginn des 18. Jahrhunderts erwähnt.

1

2

Schwer war das Leben der Ostfriesen schon immer, daran hat sich bis heute nichts geändert. Selten gab es genug Arbeit, um alle redlich zu ernähren. Früher verdienten sich die Menschen ihren Lebensunterhalt oft fern der Heimat als Seefahrer und Walfänger. Manche gingen auch unter die Seeräuber, wie Klaus Störtebeker, dem im Kirchturm von Marienhafe ein Museum gewidmet ist.

Ostfrieslands sieben Schöne: die Inseln

Leicht war das Leben auch auf den Ostfriesischen Inseln, wo man heutzutage so wunderbare Ferien verbringen kann, nie. Die sieben Ostfriesischen Inseln sind nämlich keine festen Gebilde, sondern große, mobile Sandbänke. Sie werden von der Meeresströmung ständig von West nach Ost verlagert. Im Westen bricht Land ab, im Osten entsteht es neu. Manche Ortschaften liegen deshalb heute bedrohlich nahe am Westrand der Inseln. Ob der Mensch sie durch aufwendige Schutzanlagen auf Dauer vor dem Zugriff der See bewahren kann, muß die Zeit zeigen.

Bild 1
Bei Ebbe kann man die ausgedehnten Schlickflächen durchwandern und nach Muscheln und anderen Meerestieren suchen. Doch Vorsicht, bei Einsetzen der Flut werden die harmlosen Priele rasch zu reißenden, unüberwindlichen Strömen.
Bild 2
Fest vertäut liegen die Fischerboote in ihrem Heimathafen, Greetsiel.

Ostfriesland – Festung vor der Nordsee

Die Natur Ostfrieslands unterscheidet sich grundlegend von derjenigen anderer Landschaften. Sie erforderte von den hier lebenden Menschen schon von jeher große Ingenieurleistungen. Das beste Beispiel dafür ist der Deichbau, durch den das Land vor dem „Blanken Hans" geschützt wurde und der in den fruchtbaren Marschgebieten die intensive Landwirtschaft überhaupt erst ermöglichte. Der Ring der Deiche wurde bereits im Mittelalter geschlossen, doch mußten die Deiche ständig erhöht werden, um den aufgrund von Landabsenkungen immer stärker hereinbrechenden Sturmfluten widerstehen zu können. Doch nicht immer hielten die Deiche stand. Bei katastrophalen Sturmfluten im Mittelalter brachen beispielsweise Jadebusen und Dollart ein, Gebiete, die man seither dem Meer nicht mehr hat abringen können.

Durch den Deichbau gab es im Landesinneren Probleme mit der Entwässerung der Marschen. Marsch heißt das flache, teilweise sogar unter dem Meeresspiegel gelegene Land hinter dem Deich, das früher von der Nordsee angeschwemmt worden ist. Und diese fruchtbaren Marschen sind es auch, die vor Überflutung geschützt werden müssen. Mit der Marschentwässerung wurde man durch den Bau von Sielen fertig. Siele sind – einfach ausgedrückt – Tore in

den Deichen. Sie öffnen sich nur nach außen, um bei Ebbe das Land zu entwässern. Bei Flut werden die Sieltore von der Brandung „automatisch" fest zugedrückt. Vor den Sieltoren, im Schutz des Deichs, entstanden die Sielhäfen: Neuharlingersiel, Horumersiel, Greetsiel und wie sie alle heißen. Besonders tief liegende Ländereien konnten nur durch Schöpfwindmühlen trocken gehalten werden, etwa von einer sogenannten Kokerwindmühle, wie man sie im Riepster Hammrich bei Emden sehen kann.

Bild 3
Blick auf Neuharlingersiel.
Bild 4
Tee ist das „Nationalgetränk" der Friesen. Ein Teekoster prüft verschiedene Mischungen.
Bild 5
Malerische Kapitänshäuser am Greetsieler Hafen.

4

Bild 7
Ein typischer Fehnkanal, der früher zur Entwässerung des Moores so angelegt wurde.
Bild 8
Boßeln, so heißt der Sport der Ostfriesen, bei dem eine schwere Holzkugel im Mittelpunkt steht. Mit ihr muß ein bestimmtes Ziel getroffen werden.
Bild 9
Norderney ist eine der beliebtesten Urlaubsinseln der ostfriesischen Inselkette. Man kann deutlich die Küstenschutz-Bauwerke sehen, die den Westrand der Insel vor den Angriffen der Nordsee bewahren sollen.

6

Bild 6
Überall zwischen Emden und Wilhelmshaven gibt es kleine Fischereihäfen. Ein wichtiger Erwerbszweig ist hier der Fisch- und Krabbenfang.

Kanäle – Lebensadern in Marsch und Moor

Von der Marsch aus führen unzählige Entwässerungskanäle zu den Sielen. Die meisten Kanäle konnten von Schiffen befahren werden, die Sieltore wurden dann wie Schleusen geöffnet. Die Kanäle waren – wie in den Niederlanden – die traditionellen Hauptverkehrswege im Land. Durch sie blühte einst wichtiger Binnenhandel, der vor dem Zugriff der die Küstenschiffahrt bedrohenden Seeräuber gesichert war. Am berüchtigsten waren die Vitalienbrüder unter ihrem Führer Klaus Störtebeker. Sie trieben vor der Nord- und Ostseeküste ihr Unwesen. Diese Freibeutergruppe unterstützte ursprünglich den Schwedenkönig Albrecht und belieferte das von Königin Margarete 1389–1392 belagerte Stockholm mit Nahrungsmitteln (Vitalien). Die Hanseflotten hoben die Piratennester im Jahr 1401 schließlich aus, und Störtebeker wurde zusammen mit seinem Kumpan Godeke Michels 1402 in Hamburg gehenkt. Sie blieben jedoch volkstümliche Heldengestalten, und heute trägt die ostfriesische Küstenstraße Störtebekers Namen.

5

9

8

7

1

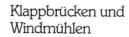

4

Klappbrücken und Windmühlen

Beim Bau moderner Verkehrswege waren die Fehnkanäle oft Hindernisse. Viele von ihnen hat man durch den Bau fester Brücken für Schiffe unpassierbar gemacht. Mancherorts wurden aber auch sehenswerte Klapp- und Drehbrücken gebaut, die den Schiffsverkehr weiterhin ermöglichen. Moderne Beispiele für diese Technik sind die Friesenbrücke über die Ems und eine Eisenbahnbrücke in Papenburg, bei der sogar die elektrische Oberleitung in die Höhe geklappt wird, wenn ein Schiff passieren soll.

Brennholz war in dem Gebiet zwischen Ems und Weser immer knapp. Bauholz von gerade gewachsenen Baumstämmen war jedoch noch viel rarer; gerade Baumstämme gibt es im Land des ewigen Windes kaum. Bauholz wurde daher früher oft über Hunderte von Kilometern herbeigeflößt. Es wurde in großen Mengen gebraucht, nicht nur als Ständer für die Dächer der Fachwerk-Bauernhäuser, sondern ebenso zum Bau von Windmühlen und Schiffen. Windmühlen waren übrigens – wie die uralte Bockmühle in Dornum – im Mittelalter ganz aus Holz gebaut. Die meist steinerne Holländerwindmühle ist eine spätere Erfindung. Bei einer Bockwindmühle wird der ganze Mühlenkasten in den Wind gedreht, beim „Holländer" nur die Kappe.

Kanäle verbanden aber nicht nur die Dörfer der Marsch, sondern trugen auch dazu bei, die großen Moorgebiete im Binnenland zu erschließen. Das Land zwischen Emden und Oldenburg sowie das Emsland sind nämlich relativ junge Siedlungsgebiete. Nach Plan wurden dort, den älteren niederländischen Vorbildern folgend, seit Anfang des 17. Jahrhunderts die sogenannten Fehnsiedlungen gegründet. Das ging so vor sich: Zuerst grub man die Fehnkanäle, auf denen Material zum Bau der Häuser links und rechts der Kanäle herantransportiert wurde. Jeder Siedler am Fehn, etwa in Großefehn, Mittelgroßefehn, Westrhauderfehn, Idafehn oder Augustfehn, bekam zur Auflage, den Streifen Land hinter seinem Haus zu kultivieren. Dazu mußte dieses „Land", das aus menschenfeindlichem Moor bestand, durch den Bau von kleinen Seitenkanälen entwässert werden. Anschließend wurde Torf gestochen, der wichtiges Heizmaterial war, denn Holz gab es stets zu wenig. Dann erst konnte man an Ackerbau denken, doch große Erträge erwirtschafteten die Moorkolonisten nie. „Des ersten Tod, des zweiten Not, des dritten Brot", hieß es von den Leuten im Moor. Auch der Torfverkauf in andere Gebiete brachte nicht viel ein, denn – anders als in den Niederlanden – war die Kohle ein harter Konkurrent auf dem Brennstoffmarkt. Lediglich Papenburg entwickelte sich vorteilhafter, da man hier bald nach der Ortsgründung (1641) mit dem Schiffsbau begann.

2

Bild 1
Die Oldenburger Geest, typisch fürs Weser-Ems-Gebiet.
Bild 2
Alexanderkirche (1230) in Wildeshausen.
Bild 3
Museumsbahn in Bruchhausen-Vilsen.

3

5

6

7

Bild 4
Torfbruch Harmonie.
Bild 5
Die bescheidenen Erdöl-
vorkommen Nordwest-
deutschlands werden mit solchen
„Nickern" gefördert.
Bild 6
Reizvolle Spiegelbilder im
Ipwegener Moor bei Oldenburg.
Bild 7
Bei der Bremer Eiswette wird im
Sommer darum gewettet, ob die
Weser am 6. Januar zugefroren sei.
An diesem Tag muß dann ein
Schneider, der höchstens 99 Pfund
wiegen darf, das Eis prüfen.

8

Heide und Geest, See und Meere

Südlich an Ostfriesland grenzen Geest und Heide. Hier gab es Wälder, in die früher das Vieh zum Weiden getrieben wurde. Nur wenige Eichen sowie Wacholdersträucher und die stacheligen Stechpalmen überstanden den Verbiß. Es bildeten sich weite Heideflächen, die heute, bei nachlassender Beweidung, wieder vom Wald zurückerobert werden. Die Geest ist uraltes Kulturland, was die zahlreichen sagenumwobenen Hünengräber der Steinzeit bezeugen. Die größten in Deutschland liegen bei Visbek, Braut und Bräutigam genannt. Bäuerliche Kultur vergangener Jahrhunderte wird im Cloppenburger Freilichtmuseum präsentiert.

Bild 8
Die Geestlandschaften sind seit der Steinzeit besiedelt. In der Ahlhorner Heide findet man die „Visbeker Braut",
ein jungsteinzeitliches Grabmal.
Bild 9
Der Bremer Marktplatz wird vom Roland, dem 10 Meter hohen Wahrzeichen der Stadt, beherrscht.

Weitere Ausflugsziele im Oldenburger Land sind die Binnenmeere (wie in Holland hat ein „Meer" Süßwasser, die „See" ist salzig). Das Zwischenahner Meer und der Dümmer sind Heimstatt ungezählter Wasservögel. Die meisten der flachen Meere sind Hochmoorseen und „ertrunkene Torfstiche". Das Zwischenahner Meer entstand dagegen durch Salzauslaugungen im Untergrund und Einbrechen der Deckschichten.

Wie Häuser und Kirchen gebaut wurden

Natursteine zum Hausbau gibt es in dieser Region kaum. Die Alternative waren Ziegelsteine. Deren Rohstoff aber ist der Ton, und auch den gibt es in Marsch und Moor nicht. Ton baute man in den Ziegeleien des Geestgebietes um Neuenburg ab. Von dort aus wurden die „Backsteine" per Schiff verfrachtet. Aus ihnen baute man dann die typischen flachen Bauernhäuser, sogenannte Gulfhäuser, mit seitlichen Durchfahrten für Heu- und Mistwagen. Schwierigkeiten gab es beim Bau von Kirchen. Kirchtürme waren oft zu schwer für den weichen

Marsch- und Moorboden, und zu hohe Türme neigten sich bald zur Seite wie der schiefe Turm von Suurhusen bei Emden. Deshalb baute man Glockentürme häufig nicht direkt an die Gotteshäuser an. Nicht alles in den Kirchen ist jedoch aus Ziegelstein. Vor allem die Taufsteine mußten aus beständigerem Material verfertigt sein: Viele von ihnen sind aus Tuffstein, der in der Eifel (!) gebrochen und unter großen Mühen zu Schiff herantransportiert wurde.

Ein Abstecher nach Bremen

Die größte Stadt an der Weser ist Bremen. Die alte Hansestadt verdient selbstverständlich auch einen Besuch, denn sie beherbergt viele interessante Sehenswürdigkeiten. Besichtigen muß man hier den Dom, den sagenumwobenen Roland und die Märchengestalten der Bremer Stadtmusikanten, das Rathaus, dessen Keller Wilhelm Hauff ein literarisches Denkmal gesetzt hat, die Kunstgewerbegeschäfte in der Böttcherstraße und im Schnoorviertel und – vor allem im Frühsommer – den herrlichen Rhododendronpark. Die Seefahrt prägte den Charakter der Stadt. Zeugnisse davon findet man im Überseemuseum. Doch will man richtige Hafenatmosphäre, dann muß man nach Bremerhaven, dem eigentlichen Hafen Bremens. Hier lohnen die Columbuskaje, an der noch immer die großen Passagierschiffe anlegen, und das Schiffahrtsmuseum einen Besuch.

9

Der Kurfürstendamm bei Nacht

BERLIN, GROSS-STADT MIT HERZ UND SCHNAUZE

Auch wenn es dunkel wird, geht man in Berlin noch lange nicht schlafen. Hier herrscht auch in der Nacht reges Treiben. Viele Cafés, Restaurants und Kneipen haben bis in die frühen Morgenstunden geöffnet, denn hier kennt man keine Sperrstunde.

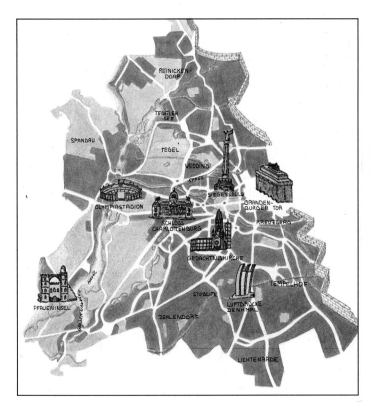

3

Berlin, eine Stadt am Wasser

Nein, Ostsee oder Nordsee sind noch nicht bis hierher vorgedrungen. Doch etwa acht Prozent der Fläche von Berlin-West sind von Wasser bedeckt. Dazu gehören Flüsse wie Spree und Havel, die mit ihren Verzweigungen das Stadtbild mitprägen. Außerdem rund ein Dutzend Kanäle und ungefähr 50 Seen, von denen Wannsee und Tegeler See die größten sind.

Gewiß, eine schöne Stadt ist Berlin nie gewesen. Alle Versuche, es dazu zu machen, scheiterten. Schon vor der Teilung, die heute den Charakter dieser Stadt bestimmt, gab es viele Brüche in ihrer Entwicklung. Berlin ist ein kompliziertes Gefüge aus ehemals selbständigen Ortschaften – sie brachten das mit, was der Stadt noch fehlte: landschaftliche

2

Schönheit mit Seen und Wäldern. Und in der Mitte die Keimzelle der Weltstadt, das eigentliche Berlin.

„Streusandbüchse des Deutschen Reiches"

Dieser Weltstadtkern, ein von verwirrenden Straßenzügen durchkreuztes Häusermeer, ging aus den beiden mittelalterlichen Urzellen rechts und links des mittleren Spreearms hervor:

Bild 1
Das Luftbrückendenkmal erinnert an die Berlinblockade 1948/49, während der die Stadt aus der Luft versorgt wurde.
Bild 2
Berlins Wahrzeichen im Sperrgebiet.
Bild 5
Im Grunewald, der „grünen Lunge" Berlins.

Berlin (heute in Ost-Berlin) und Cölln. Beide wurden um 1240 zum erstenmal urkundlich erwähnt. Daß hier ein wendisches Fischerdorf gewesen sei, hat man oft gelesen. Ausgrabungen haben jedoch bestätigt, was Tacitus schrieb: daß es zwischen Elbe und Oder hundert Semnonengaue gebe – mithin eine der dichtesten Germanensiedlungen auf deutschem Boden überhaupt. Die Slaven saßen aber gleich nebenan, im heutigen Köpenick, in Spandau und in Potsdam. Alter Siedlungsboden ist das hier allemal, seit etwa 55 000 Jahren. Der Berliner Raum wurde geologisch und damit auch landschaftlich in der letzten, der Weichseleiszeit geprägt, als sich hier in riesigen Urstromtälern das Gletscherschmelzwasser sammelte und zur Nordsee hin abfloß. Auf dem nahezu glattgeschliffenen Gesteinsuntergrund blieben hohe Sandablagerungen zurück, die

5   4

6

Umgebung von Berlin ist ein Sandmeer. Man muß den Teufel im Leib gehabt haben, als man hierher eine Stadt baute."

Das frisch gegründete Berlin wurde eine Stadt der Kaufleute, dann zur Residenz der Kurfürsten und Könige und zog Menschen aus allen Teilen Deutschlands und aus dem Ausland an. Aus diesem Gemisch formte sich „der Berliner" mit der für ihn typischen Wesensart, bei der sich Mutterwitz und Weltläufigkeit aufs schönste vereinen: Blitzschnell wird die Situation erkannt und in Formulierungen voll nüchternen Witzes karikierend aufgespießt, wird falsche Größe rücksichtslos entlarvt. Keine Frage – der Berliner ist es, der mit seiner Redeweise und seinen Gewohnheiten die Atmosphäre der Stadt schafft. Bedeutende Denker, Dichter und Künstler wohnten und trafen sich hier, gaben der Stadt ihr geistiges Fundament.

Groß-Berlin bildete sich aber erst 1920, als sieben Städte, darunter die Konkurrenzstadt Spandau, 59 Landgemeinden und 27 Gutsbezirke eingemeindet wurden. Nun erst erhielt die Stadt ihr heutiges vielfältiges Gesicht. Im Westen durchzieht ein breiter Waldgürtel das Gelände. Das größte zusammenhängende Waldgebiet ist der Grunewald mit deutlichen Bergen – der Havelberg ist immerhin fast 100 Meter hoch – und einem reizvollen Jagdschloß darin. Im

Süden zieht sich der Düppeler Forst mit dem 103 Meter hohen Schafsberg hin, in dem sich Prinz Karl von Preußen eine noble Sommerresidenz erbaute, das von einem schönen Park umgebene Schloß Kleinglienicke. Im Norden setzt der Tegeler Forst mit dem „Humboldtschlößchen" (Schloß Tegel) das Waldgebiet fort, das im Westen von einer Seenkette eingefaßt wird: Wannsee mit seinem Strandbad, Tegeler See, Heiligensee, an dem es sogar eine richtige Dünenlandschaft gibt, und viele andere. Von den Havelinseln ist die Pfaueninsel die schönste, mit ihrem Schloß und dem indischen Palmenhaus war sie einst ein Refugium preußischer Könige.

Und hier am Stadtrand wird Berlin plötzlich ganz dörflich. Marienfelde im Süden ist eines der besten Beispiele für ein wohl-

erhaltenes altes Dorf: auf dem Anger die klotzige Kirche aus Granitquadern, am Dorfrand Bauernhäuser und ein großes Gut. Lübars im Norden ist noch von Feldern und Wiesen umgeben, auf denen sich Pferde tummeln, und eines seiner Bauernhäuser trägt noch ein strohgedecktes Dach. Andere Orte wie Lichtenrade, Gatow, Heiligensee haben sich noch teilweise ihren dörflichen Charakter bewahrt – hier ist eine andere Welt, das Großstadtgetriebe nicht mehr zu spüren.

Bild 6
Das Charlottenburger Schloß beherbergt heute zwei Museen.
Bild 8
Die letzte Mauer des Anhalter Bahnhofs.
Bild 9
Auch ein Wahrzeichen Berlins: der Funkturm.

7

8

9

den steinigen Untergrund völlig verhüllen. Als „des Deutschen Reiches Streusandbüchse" hat Theodor Fontane in seinen „Wanderungen durch die Mark Brandenburg" diese Gegend treffend gekennzeichnet, und der Franzose Stendhal schrieb: „Die

WASSER-SCHLÖSSER UND KOHLE-ZECHEN – GEGENSÄTZE ZWISCHEN MÜNSTER UND KÖLN.

Ein Blick aus der Vogelperspektive über die Gesamtanlage des Wasserschlosses Anholt, das inmitten eines Parkes liegt.

Wasserschloß Anholt

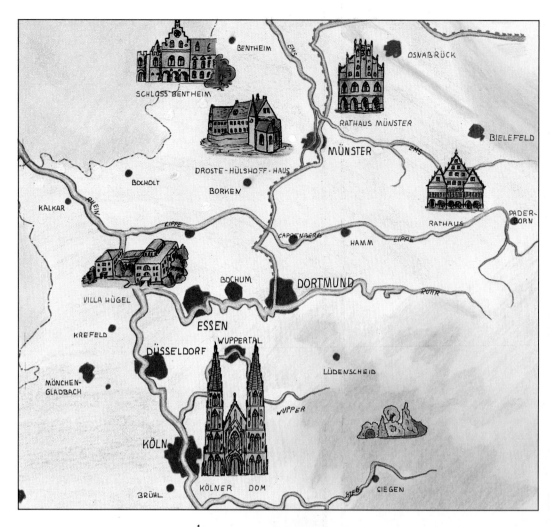

1

Zwei Tieflandsbuchten im Mittelgebirge

Geologisch gehören das Münsterland und die Niederrheinlande zum Nordwestdeutschen Tiefland. Beide Gebiete sind weit nach Süden in den Mittelgebirgskörper eingreifende Tieflandsbuchten. Die Münstersche oder Westfälische Tieflandsbucht erstreckt sich zwischen dem Nordrand des Rheinischen Schiefergebirges im Süden und dem Teutoburger Wald, dessen Bergkämme sich im Norden und Osten bogenförmig um das Tiefland legen. Den überwiegenden Teil dieses Raumes nimmt das Münsterland ein, ergänzt durch das Sandgebiet der Senne, im Osten am Fuß des Teutoburger Walds gelegen, und die fruchtbaren Hellwegbörden, die den Fuß des Schiefergebirges südlich der Lippe säumen.

Im Westen geht die Westfälische Tieflandsbucht in die randlichen Sandplatten der Niederrheinlande über. Dieser Großraum besteht aus der eigentlichen Tieflandsbucht, die bis über Köln hinaus keilförmig nach Süden ins Mittelgebirge vorstößt, begrenzt vom Bergischen Land im Osten und von der Eifel im Westen, sowie im Norden aus dem sich nördlich anschließenden Niederrheinischen Tiefland.

Bild 1
Schloß Westerwinkel bei Herben,
liegt auf drei Inseln.
Bild 2
Auch Wildpferde kann man
noch sehen.

2

Vom Münsterland zum Niederrhein

Naturräumlich betrachtet läßt sich zwischen dem Norden und der Mitte Deutschlands eine scharfe Grenzlinie ziehen: Am Nordrand der Mittelgebirgszone endet das Nordwestdeutsche Tiefland. Auch die Kulturlandschaften beider Großräume unterscheiden sich deutlich voneinander. Die vollkommen andersartigen „Rahmenbedingungen", die die Natur dem Menschen gesetzt hat, im Norden Tiefland und Ebenen, in der Mitte Hochland und Berge, haben auch im heutigen Zeitalter moderner Technik und Industrie noch immer ihre Auswirkungen auf den wirtschaftenden Menschen. Allerdings vollzieht sich der kulturräumliche Wechsel zwischen Nord- und Westdeutschland – anders als der naturräumliche – allmählich, in einer Übergangslandschaft. Und genau als solche kann man das Münsterland und die Niederrheinlande betrachten.

5

3

4

Bild 3
Solch prächtige Alleen führen oft genau auf einen Bauernhof zu.
Bild 4
Hier in Schloß Hülshoff hat die Dichterin Annette von Droste-Hülshoff (1797–1848) bis zu ihrem 29. Lebensjahr gelebt. Bekannt wurde sie durch Gedichte und ihre Novelle „Die Judenbuche".
Bild 5
Münster setzte den „Kiepenkerlen", den früheren Hausierern ein Denkmal.

Erster Eindruck: plattes Land

Wer mit dem Auto im Münsterland oder im Niederrheinischen Tiefland zwischen Xanten und Emmerich unterwegs ist, wird sich auf weiten Strecken des Eindrucks nicht erwehren können, fernab jeglicher Ballungsgebiete in einer richtigen Idylle zu sein, quasi mitten auf dem platten Land, wobei das Wort „platt" keineswegs negativ gemeint ist. Denn dazu ist die Landschaft viel zu abwechslungsreich, zu schön, und das, obwohl dieses Gebiet fast vollkommen flach ist, mit Ausnahme einiger weniger Hügelgruppen, die die Ebene hier und da überragen: beispielsweise die Baumberge (186 m), die Beckumer Berge (173 m) oder der Hünsberg (106 m).
Die Landschaft erweckt auf weiten Strecken den Eindruck eines riesenhaften Parks. Kleine Wälder, Felder, Wiesen und Weiden wechseln einander ab. Baumreihen oder Wallhecken umsäumen häufig die Parzellen, so daß man nur selten in die Ferne schauen kann. Richtige Dörfer sind selten. Viel verbreiteter sind Einzelhöfe oder – im Münsterland – sogenannte Streusiedlungen; am Niederrhein sind es Reihendörfer, deren Häuser sich an den Rändern der vom Rhein aufgeschotterten Terrassen aufreihen. Und überall, auch an den kleinen Nebenstraßen, stößt man auf versteckt gelegene Wasserschlösser, deren trutzige Gemäuer sich in den Gräften genannten Wassergräben widerspiegeln: Reminiszenzen an den

alteingesessenen Landadel, der sich im flachen Gelände auf diese Weise vor seinen Feinden schützte.
Einen ländlichen Eindruck hinterlassen auch die kleinen Städte, die sich wie die Knoten eines weitmaschigen Netzes über das flache Tiefland verteilen. In den meisten Fällen liegen sie genau dort, wo früher zwischen zwei unpassierbaren Mooren ein gefahrlos begehbarer Durchgang existierte. Hier war es ein leichtes, Wegezölle zu erheben und Feinden den Weg zu versperren.

Von Plaggen, Drubbeln und Kämpen

Das Münsterland und die Niederrheinlande gehören zu den Altsiedelländern, Räumen also, die schon in frühgeschichtlicher Zeit von seßhaften Menschen bewohnt waren. In solchen Gebieten birgt in der Regel die Feldflur die Beweise der frühen Besiedlung und des frühen Ackerbaus, denn von den menschlichen Behausungen ist nichts mehr übriggeblieben. So auch im Münsterland, wo eine ganz besondere Form der Bodendüngung die entscheidenden Beweise lieferte.
Die besten Ackerflächen nehmen die etwas erhöhten Stellen der Geestoberfläche ein, da hier der Wasserhaushalt der Böden reguliert ist. Hochstehendes Grundwasser wie in den tiefer gelegenen Niederungen gibt es nicht. Es handelt sich immer um eine ganze Reihe von Grundstücken oder Parzellen, die die Form langer, schmaler Streifen besitzen und die zusammen ein Gewann bilden. Dies sind die für das gesamte Münsterland charakteristischen Langstreifen- oder Eschfluren, die es schon seit Urzeiten gegeben haben muß. Als Dünger wurden schon vor über 2100 Jahren sogenannte Plaggen verwendet, die heute Humusschichten von 1,20 m Dicke oder sogar mehr bilden. Plaggen nennt man den mineralreichen Pflanzenfilz, der in den nahen Heiden von der obersten Bodenschicht abgelöst wurde, im Stall als Streu Verwendung fand und anschließend auf die Äcker wanderte. Und genau diese Plaggen haben nach den komplizierten, aber sehr zuverlässigen Messungen der Geo-

graphen ein exakt ausgewiesenes Alter von 2100 Jahren. Mindestens so lange gibt es im Münsterland Ackerbau.

Zu den Langstreifen und Plaggen gehören die Drubbel, Streusiedlungen, deren unter Eichengruppen verborgene Gehöfte sich an der Flur entlang oder um die Flur herum gruppieren. Das Wort „Drubbel" ist urwestfälisch und bedeutet soviel wie „ungeordnete Ansammlung von Menschen, Tieren oder auch Gegenständen". Wesentlich jünger als die offenen Eschfluren mit ihren Drubbeln sind die hecken- und baumumstandenen, blockförmigen Kämpe oder Kampfluren mit ihren Einzelhöfen. Sie entstanden in Zeiten erhöhten Bevölkerungsdrucks und nehmen die weniger günstigen Böden ein.

Im Niederrheinischen Tiefland war die frühe Besiedlungsgeschichte sehr viel einfacher erforschbar, denn links des Rheins siedelten die Römer und hinterließen genügend eigene Baureste und außerdem Aufzeichnungen über die hier lebenden Germanenstämme und ihre Wirtschaftsformen. Auch dieser Raum war schon in frühgeschichtlicher Zeit von seßhaften Bauern bevölkert. Ihr Leben wurde allerdings vom Rhein geprägt, der häufig über die Ufer trat und seinen Lauf veränderte. Deshalb wurden hier, ähnlich wie an der Küste, Wurten oder Warften aufgeschüttet, um Haus und Hof vor Überflutungen zu schützen. Noch heute kann man am Niederrhein auf Wurten gebaute Häuser sehen.

Aus Motten wurden Wasserschlösser

Eine weitere landschaftsprägende Erscheinung zwischen Rhein und Teutoburger Wald sind die überall verbreiteten Wasserschlösser. Sie blicken ebenfalls auf eine sehr lange Geschichte zurück und entstanden meistens aus sogenannten Motten, die natürlich nichts mit dem Insekt gleichen Namens zu tun haben. Das Wort stammt vielmehr aus dem Französischen und bedeutet Kloß, Batzen. Gemeint sind die im frühen Mittelalter zum Schutz gegen die Normannen errichteten hölzernen Wohntürme, die auf einem künstlich aufgeschütteten Erdhügel standen. Zusätz-

liche Sicherheit erzielte man durch die Anlage eines Wassergrabens, bei dem hochstehenden Grundwasser kein Problem. Später entwickelten sich aus manchen dieser Motten die heutigen Wasserschlösser.

Das bekannteste Beispiel ist sicherlich das westlich von Münster gelegene Haus Hülshoff, wo die westfälische Dichterin Annette von Droste-Hülshoff, Schöpferin der „Judenbuche", 1797 geboren wurde. Die „Stockwestfälin", als die sie sich selbst bezeichnete, nannte ihre Burg liebevoll „ein grünumhegtes Haus, brütend wie ein Wasserdrach". Es gilt als Musterbeispiel für jene Herrensitze, die sich an der Stelle einer alten Motte entwickelten. Als Baumaterial wurden und werden auch heute noch Ziegel- oder Backsteine verwendet, da im gesamten niederdeutschen Raum keine Natursteine zur Verfügung stehen. Diese beschaffte man sich nur, wenn es galt, eine besonders kostbare Fassade zu gestalten. Steinbrüche gibt es in manchen der Hügelgebiete, die den eiszeitlichen Geestmantel oder – im Rheinland – den rheinischen Schotterkörper durchragen. Im Fall von Haus Hülshoff wurden Kreidesandsteine für die Hauptfassade verwendet.

1

3

4

Bild 1
„Westfälischer Bauerndom",
damit ist die Frechenhorster
Bonifatiusbasilika gemeint.
Bild 2
Um den Rhein zur meistbefahrenen
Wasserstraße Europas zu machen,
mußte er begradigt
und kanalisiert werden.
Bild 3
Viele frühere Rheinschleifen
blieben als Altwasserarme erhalten.
Hier das Naturschutzgebiet Birten
bei Xanten.
Bild 4
Im Mittelalter diente Burg Gemen
der Verteidigung.
Im 17. Jh. bekam Gemen sein
heutiges Gesicht.

2

Das Klima und die Industrie

Die Landadligen waren zumeist sehr wohlhabende Herrschaften, die es sich sogar leisten konnten, den Winter in Münster zu verbringen, wo sie sich ihre „Zweitpaläste" bauten. Am sehenswertesten ist der barocke Erbdrostenhof, der stellvertretend für die etwa 40 übrigen „Winterpaläste" steht, die im letzten Krieg leider größtenteils zerstört wurden. Münster, die ehemalige westfälische Hauptstadt, ist ohnehin mehr als nur einen kurzen Besuch wert. Der Prinzipalmarkt aus der Hansezeit, das gotische Rathaus, in dessen Friedenssaal der Dreißigjährige Krieg beendet wurde, und der Dom sind die wichtigsten Sehenswürdigkeiten.

Anders als dem Adel erging es der bäuerlichen Bevölkerung. Nicht immer ernährte die Landwirtschaft die ganze Familie, so daß man einer Nebenbeschäftigung nachgehen mußte – der Leineweberei im Nordmünsterland, der Töpferei in Ochtrup und Stadtlohn oder der Glockengießerei in Gescher. Die Leineweberei entpuppte sich schließlich als der Gewerbezweig mit den größten Entwicklungsmöglichkeiten. Es stand genügend geschultes Personal zur Verfügung, so daß sich in der zweiten Hälfte des vorigen Jahrhunderts Textilindustrie – besonders Jute- und Baumwollindustrie – im nördlichen Münsterland ansiedelte. Von dort ging die Entwicklung ins westliche und sogar bis ins östliche Münsterland und in die Bie-

5

6

lefelder Gegend. Wichtigste Textilstädte sind heute Rheine, Emsdetten und Greven an der Bahnlinie Münster–Emden sowie Bocholt, Stadtlohn, Ahaus, Gronau und Ochtrup im westlichen Münsterland. Die früheren Kiepenkerle, die die in Heimarbeit erstellten Produkte der Leineweber in ihrer Kiepe durch das Münsterland trugen, von Hof zu Hof, waren plötzlich arbeitslos, denn die Vermarktung von industriellen Massengütern mußte zwangsläufig über andere Kanäle abgewickelt werden.

Eine nicht unwesentliche Ausstrahlung besaßen auch die Industrien des Ruhrgebiets. Das Vordringen von Metallindustrie und Steinkohleabbau beschränkte sich jedoch auf das südlichste Kernmünsterland mit Ahlen, Heessen und Bockum-Hövel. Am Niederrhein setzte sich der Einfluß des Ruhrgebiets dagegen wesentlich stärker durch, da die verkehrsgünstige Rheinachse große Standortvorteile bot und bietet. Nicht von un-

Bild 5
Braunkohle-Tagebau in Hambach.
Bild 6
Das „Haus zu den fünf Ringen"
in Goch beherbergte im 16. Jh.
große Rittersäle für die Herzöge von
Kleve und Geldern.
Bild 7
Die Neu-Monopol.

gefähr enwickelte sich an der Mündung der Ruhr in den Rhein der größte Binnenflußhafen der Welt: Duisburg-Ruhrort. Westlich des Rheins entstanden die Textilindustrien von Krefeld (Seide), Mönchengladbach (Wolle, Baumwolle) und Viersen (Samt und Plüsch). Noch weiter südlich ist die verhältnismäßig unverbaute Landschaft des Nordens einer Industrieballung gewichen, deren Zentrum das zur hektischen Weltstadt herangewachsene Köln ist: Sicherlich ein lohnendes Ziel, denn die Stadt hat eine enorme Fülle an historischen Sehenswürdigkeiten zu bieten. Der eingangs erwähnte Übergang zwischen Nord- und Westdeutschland hat spätestens ab Düsseldorf stattgefunden. Die Backsteingehöfte sind „normalem" Fachwerk gewichen, und vor allem die Sprache der Menschen hat sich grundlegend gewandelt: Sie ist nicht mehr niederdeutsch, sondern ripuarisch, also fränkisch beeinflußt.

7

WO WERRA SICH UND FULDA KÜSSEN – DAS WESER-BERGLAND

Münden, wo sich Werra und Fulda zur Weser vereinen, ist eine Stadt des Fachwerks. Der weitgereiste Alexander von Humboldt zählte sie im vergangenen Jahrhundert zu den sieben schönst gelegenen Städten der Welt.

Fachwerkzeile in Münden

Zwischen Münden und Minden

Das Weserbergland gehört zu den bekanntesten deutschen Landschaften. Es erstreckt sich zwischen Münden und Minden beiderseits der Weser und besteht aus mehreren Höhenzügen.

Die Natur hat hier zwischen dem Harz im Osten und dem Rheinischen Schiefergebirge im Westen ein heilloses Durcheinander hinterlassen. Die geologische Karte sieht aus wie ein bunter Flickenteppich, in so viele einzelne Schollen ist die Erdoberfläche während der Hebung des Berglands im Tertiär zerbrochen. Und mitten durch dieses Chaos fließt die Weser als verbindendes Element. Der Fluß hat sich nicht gerade den bequemsten Weg ausgesucht. Man fragt sich, warum die Weser nicht einfach außen

Bild 1
Ein Denkmal für den Lügenbaron Münchhausen in Bodenwerder.

um das Bergland herumfließt. So aber sind der Fluß und sein Tal seit jeher die natürliche Verkehrsleitlinie des Weserberglands und damit seine Lebensader. Der einst unermeßliche Wohlstand der entlang des Flusses aufgereihten Städte wäre ohne ihn nicht möglich gewesen, genauso wenig wie die prunkvolle „Weserrenaissance".

Die beiden prägenden Landschaftstypen

Das scheinbar chaotisch aus ungezählten Einzelschollen zusammengesetzte Weserbergland läßt bei genauerem Hinsehen doch ein klares Ordnungsprinzip erkennen. Es besteht größtenteils aus zwei Landschaftstypen, die es anderswo in Deutschland so überhaupt nicht gibt.

Im Süden dehnen sich die dicht bewaldeten und dünn besiedelten Schichttafeln von Bramwald, Reinhardswald, Solling und Vogler aus, eintönig wirkende Hochflächen (um 400–500 m). Sie bestehen aus Buntsandsteinschichten, die erst in allerjüngster geologischer Vergangenheit zu einem großen Gewölbe gehoben wurden. Und genau in den Scheitel dieses Gewölbes hat sich die Weser zwischen Münden, wo sie aus dem Zusammenfluß von Werra und Fulda entsteht, und Karlshafen eingeschnitten, etwa 150–200 m tief. Ein solches Durchbruchstal konnte nur deshalb entstehen, weil der Fluß schon vor der Hebung des Gebirges existierte.

Der zweite Landschaftstyp ist die Schichtkammlandschaft, die den Norden des Weserberglands prägt. Schichtgesteine mit unterschiedlicher Härte wurden hier schräggestellt und anschließend von der Erosion erfaßt. Die harten Schichten blieben dabei als langgestreckte und sehr schmale Höhenrücken stehen, die dazwischen lagernden weichen Schichten dagegen wurden zu weiten Becken ausgeräumt. Das Tal der Weser führt den Gesteinswechsel eindrucksvoll vor Augen: In harten Schichten treten die Ufer dicht zusammen, steile Hänge steigen beiderseits abrupt an. Im weichen Gestein dagegen weitet sich das Tal und bietet genügend Raum für Städte, Dörfer und Äcker. Felder gibt es in den Mulden der Schichtkammlandschaft jede Menge, denn hier, im Windschatten, blieb der während der Eiszeiten aus dem Norddeutschen Tiefland herangewehte fruchtbare Löß liegen. Bleibt festzuhalten, daß die Ausraumbecken die am frühesten und dichtesten besiedelten Bereiche des Weserberglands sind.

Bild 2
Die Porta Westfalica, oberhalb von Minden, ist das Durchbruchstal der Weser zwischen dem Wiehen- und Wesergebirge. Links der Wittekindsberg, auf dem das Kaiser-Wilhelm-Denkmal zu sehen ist.
Bild 3
Im Zentrum von Münden.
Bild 4
Das Hermanns-Denkmal. Die 26 Meter hohe Statue verkörpert den Cheruskerfürsten, der im Jahre 9 n. Chr. ein römisches Heer im Teutoburger Wald vernichtete. Dieses Monument ist das Lebenswerk Ernst von Bandels, der von 1838 bis 1875 daran gearbeitet hat.
Bild 5
Ein Blick ins Innere des Hildesheimer Doms. Das romanische Bauwerk stammt aus dem 11. Jh., doch gibt es einige gotische Anbauten. Besonders schön sind die Bernwartstür von 1035 und das Taufbecken aus dem 13. Jh.
Bild 6
Der Weserbogen bei Dölme.

4

5

6

7

Stapelrechte steigerten den Städtebau

Heute spielt die Oberweser als Wasserstraße so gut wie gar keine Rolle mehr. Außer einigen Touristenbooten befahren nur ganz wenige Lastkähne mit geringem Tiefgang den Fluß. Zum einen liegen zu viele Felsbrocken im Bett der Weser, zum anderen ist die wirtschaftliche Entwicklung in diesem großstadtlosen Teil Deutschlands zu gering, um einen Massengütertransport in größerem Stil aufrechtzuerhalten. Dies war allerdings anders, als es noch keine Autos und Züge gab. Die Stapelrechte und Zölle, die man unterwegs von den Schiffern kassierte, wurden für diese zu einem fast unbezahlbaren Übel, das manchen Bootsmann davon abhielt, die Weser zu befahren.

Dennoch: Die Städte an der Weser erlebten im 16./17. Jahrhundert eine enorme Blütezeit, allen voran Hameln und Münden. Es waren nicht nur Schiffer, die ihren Obolus zu entrichten hatten, sondern auch die Flößer, die den Holzreichtum von Reinhardswald und Solling in Bremen bei den Schiffsbauern zu klingender Münze machten. Ein Ergebnis des städtischen Wohlstands kann heute noch bestaunt werden: die ungezählten prachtvollen Fachwerk-Bürgerhäuser Mündens, Hamelns und anderer Weserstädtchen. Viele davon besitzen Renaissancegiebel. Es entwickelte sich eine „weserspezifische" Ausprägung dieser Stilrichtung, die sogenannte Weserrenaissance, die sogar über den direkten Einzugsbereich des Flusses hinaus ausstrahlte. Zu den bekannteren Beispielen gehören die Schlösser von Münden, Bevern, Detmold, Varenholz und die alles übertreffende Hämelschenburg.

Karlshafen: trotz Märchenstraße kein Märchen

Die Zölle müssen auch im 18. Jahrhundert noch horrend gewesen sein, denn sie ärgerten den hessischen Landgrafen Carl derartig, daß er keine Kosten scheute, um dem hannoverschen Münden keinen Entgelt mehr für weserabwärts verschiffte Waren entrichten zu müssen. Er baute den Schleusenhafen Karlshafen, heute dank Solequelle Bad Karlshafen, ließ ab 1699 ganz planmäßig die neugegründete Barockstadt, die damals noch Sieburg genannt wurde, von Hugenotten und Waldensern besiedeln. Von dort sollte ein Kanal durch das Diemeltal bis zur Fulda gegraben werden – ein Projekt, welches nicht realisiert werden konnte. Man könnte meinen, dieser kostspielige „Schildbürgerstreich" habe etwas mit Münchhausen zu tun, aber die Heimat des Lügenbarons ist Bodenwerder, wo ihm ein originelles Denkmal gesetzt wurde. Und auch die Gebrüder Grimm, die in dieser Gegend viele ihrer Märchen „sammelten", waren bei dieser unglaublichen Geschichte nicht mit im Spiel. Sie machten allerdings die berühmte Sababurg zum Dornröschenschloß.

Bild 7
Das Bückeburger Schloß
Bild 8
Beim Bückeburger Heimatfest trägt man noch die Schaumburger Tracht.
Bild 9
Abtei Corvey

8

9

VOM ERZ-KASTEN ZUM TOURISTEN-MAGNETEN – DER HARZ

Die Kaiserpfalz in Goslar gehört zu den ältesten weltlichen Bauten in Deutschland. Sie entstand im 11. und 12. Jahrhundert und war die Lieblingspfalz von Heinrich III., dessen Herz in der Kapelle aufbewahrt wird.
Im 19. Jh. wurde sie restauriert, seitdem stehen auch die wilhelminischen Reiter vor dem Eingang.

Kaiserpfalz in Goslar

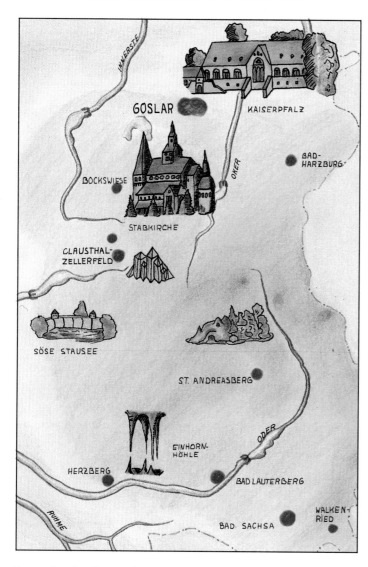

Map labels:
INNERSTE · GOSLAR · KAISERPFALZ · BOCKSWIESE · OKER · BAD-HARZBURG · STABKIRCHE · CLAUSTHAL-ZELLERFELD · SÖSE STAUSEE · ST. ANDREASBERG · ODER · EINHORN-HÖHLE · HERZBERG · BAD LAUTERBERG · RUHME · BAD SACHSA · WALKEN-RIED

Zuerst ein wenig Geographie

Das etwa 90 km lange und nur 30 km breite Gebirge gliedert sich in den rund 600 m hohen, von Fichtenwald überzogenen Oberharz im Nordwesten – auch Clausthaler Hochfläche genannt – und in die wellige Hochfläche des niedrigeren (350–500 m), auf dem Gebiet der DDR gelegenen Unterharzes mit ausgedehnten, von herrlichen Buchenwäldern umgebenen Ackerbauinseln. Dazwischen erhebt sich das mächtige Brockenmassiv, dessen Hochfläche in rund 800 m Höhe das zentrale Bergland des Mittelharzes bildet – überragt von den Gipfeln des über die Baumgrenze hinausreichenden Brockens (DDR), des Wurmbergs (971 m), des Bruchbergs (928 m) und der Achtermannshöhe (926 m).

Der „Wasserturm" Norddeutschlands

Wie der Bug eines riesigen Schiffes ragt der Oberharz in die flache Umgebung des Norddeutschen Tieflands hinein. Die aus Westen wehenden regenbringenden Winde treffen deshalb mit elementarer Gewalt auf das ihnen schutzlos preisgegebene Gebirge. Das Ergebnis sind Rekordniederschläge in den nach Westen exponierten Hochlagen des Harzes: bis zu 1700 mm pro Jahr, d. h. etwa zwei- bis dreimal soviel wie im Harzvorland oder sonstwo in Norddeutschland. Eine im Gelände deutlich sichtbare Auswirkung von starkem Gefälle und hohen Niederschlägen sind die tief in den Harzrand eingekerbten Täler, die von der Clausthaler Hochfläche fingerförmig nach Norden und Westen ausstrahlen. Zum vielen Regen und Schnee gesellen sich im Harz auch noch sehr niedrige Jahresdurchschnittstemperaturen. Beim Torfhaus, zwischen Bad Harzburg und Braunlage, bewegt man sich vergleichsweise in der Gegend von Leningrad, und ein Aufstieg zum Brocken würde – was die Temperatur anbetrifft – einem Ausflug nach Hammerfest entsprechen.

2   3

Landschaft und Städte, vom Bergbau geprägt.

Der dicht bewaldete Harz ist das höchste und wohl auch schönste Mittelgebirge Norddeutschlands: eine Freizeitlandschaft par excellence. Jäh steigt der Gebirgsklotz aus seinem flachen Vorland auf, und die 1142 m hohe Granitkuppel des „Blocksbergs" – so heißt der Brocken, der heute zur DDR gehört, im Volksmund – ist schon aus großer Entfernung sichtbar. Hier sollen der Sage nach dämonische Gestalten ihr Unwesen treiben, und kein geringerer als Johann Wolfgang von Goethe ließ sich davon für seinen „Faust" inspirieren.

Als Kulturlandschaft besitzt der Harz seine traditionelle, unverwechselbare Individualität, wie sie im Lauf der Geschichte von den Menschen geprägt wurde, die hier wohnten. Es war besonders eine Gruppe, die dem Gebir-

ge seit dem Ende des Mittelalters ihren Stempel aufgedrückt hat: die Harzer Bergleute, die ursprünglich gar keine Harzer waren, sondern aus dem Erzgebirge stammten. Den früheren Erzbergbau gibt es freilich schon lange nicht mehr, und somit auch keine Bergleute. Doch ihr kulturelles Erbe lebt noch heute in der Harzlandschaft fort. Wer mit offenen Augen reist, begegnet ihm auf Schritt und Tritt, auch wenn das Zeitalter des Tourismus so manches übertüncht hat.

1

Bild 1
Spätestens seit Goethes Faust sind der Blocksberg und seine Hexen berühmt.

Schon in Höhen um 1000 m ist das Klima so rauh, daß der Wald von Hochmooren und Zwergstrauchheiden abgelöst wird. Unterhalb von 1000 m trägt der Harz ein dichtes Waldkleid, das fast ausschließlich von Fichten gebildet wird. Bis hinunter auf etwa 800 m Höhe handelt es sich um natürliche Bestände, unterhalb davon um künstlich angelegte Monokulturen. Sie gehören zu den ältesten Beispielen dafür, wie industrielle Bedürfnisse die „Natur" beeinflussen. Die Eisenhütten und Bergwerke des Harzes benötigten schon vor mehr als 250 Jahren Holzmengen, wie sie nur von schnellwüchsigen Nadelwäldern geliefert werden konnten.

4

5

6

7

Bild 2
Recht häufig anzutreffen sind solch wollsackähnliche Felsbildungen wie die gespenstisch wirkende Kästeklippe.
Bild 3
Das tief eingeschnittene Tal der Oker ist eines der beliebtesten im Harz.
Bild 4
Hier müssen Wildwasserfahrer ihr ganzes Können aufbieten.
Bild 5
Blick in die Iberger Tropfsteinhöhle.
Bild 6
Wie in den Alpen: Viehaustrieb an Pfingsten in Wildemann.
Bild 7
In Goslar kann man es sich gemütlich machen. Davon kündet manch einladendes Wirtshausschild.
Bild 8
Eine Attraktion, der Radau-Wasserfall.

8

Mittelalterliche Rodung – auf Harzer Art

Die allerersten Siedlungen des Harzes entstanden bereits im frühen Mittelalter, und zwar am Rande des unwirtlichen, rauhen Berglandes, meist dort, wo die Flüsse aus dem Gebirge ins Vorland austreten. Sie entwickelten sich schon bald zu ansehnlichen Städten, allen voran Goslar, das um 1005 zur Königspfalz erhoben wurde. Ihren einstigen Wohlstand verdankten die Harzrandstädte schon von Beginn an dem Bergbau, von dem die Menschen in dieser Gegend fast ausschließlich lebten.

Die erste bekannte Erzgrube befand sich am Rammelsberg bei Goslar, wo der Bergbau gegen Ende des 10. Jahrhunderts einsetzte.

Um 1200 wagten sich die ersten Bergleute ins bis dahin vollkommen unbesiedelte Innere des Harzes vor. Die vom Gebirgsrand auf die Clausthaler Hochfläche führenden Täler dienten ihnen als natürliche Leitlinien bei ihrem Vorstoß ins Ungewisse. Ähnliche Unternehmungen fanden damals in allen deutschen Mittelgebirgen statt, und fast allen gemeinsam war, daß sie durch die umliegenden Klöster angeregt oder zumindest unterstützt wurden. So auch im Harz, wo die Klöster aus Goslar und Walkenried aktiv wurden. Während es üblicherweise darum ging, die Waldgebirge zu besiedeln und zu roden, um einer stark angewachsenen ländlichen Bevölkerung neuen Lebensraum zu erschließen, drehte sich im Harz alles um den Bergbau. Der große Bedarf an Silber ließ die ersten bergbaukundigen Mönche von Goslar aus in den Oberharz ziehen. Sie gründeten um 1208 das Kloster Cella (Zellerfeld) und betrieben von hier aus über 100 Jahre lang Bergbau. Schon bald aber führten technische Probleme zur Einstellung der Erzförderung.

Bergbau machte frei

Fast 200 Jahre lang wurde es still um den Harzer Bergbau, bevor die umliegenden Landesfürsten das Erzfieber neu entfachten. Sie warben Fachleute aus dem Erzgebirge an und holten sie in den Harz. Als Gegenleistung schufen sie eine mustergültige Bergord-

Bild 1
Europas größte Holzkirche
in Clausthal-Zellerfeld.

nung und verliehen den Bergleuten persönliche und wirtschaftliche Freiheiten, die im Zeitalter von „Zunftenge" und Leibeigenschaft sensationell waren. Diese „Bergfreiheiten" waren es auch, die bis ins 20. Jahrhundert hinein das selbstbewußte und berufsstolze Wesen der Oberharzer prägte.

Auch ein ungewöhnlicher alter Brauch hat sich aus der Zeit der Bergfreiheiten bis heute erhalten: die Finkenmanöver. Der Vogelfang gehörte zu den Privilegien der Bergleute, und in den Bergstädten wurde es Sitte, in jedem Jahr denjenigen Finkhahn unter den eingefangenen Vögeln zu ermitteln, der am besten schlagen konnte. Als die ersten Vogelschutzverordnungen Mitte des 19. Jahrhunderts erlassen wurden, ging der Vogelfang rapide zurück. Man wich auf die Zucht von Kanarienvögeln aus, die als „Harzer Roller" in aller Herren Länder bekannt wurden. Aber die Finkenmanöver veranstalten die Nachkommen der Bergleute heute noch.

Bergbau machte erfinderisch

Der Harzer Bergbau erlebte im Lauf der Jahrhunderte mehrere Höhen und Tiefen. Ursachen waren entweder Nachfrageschwankungen oder technische Probleme bei wachsenden Fördertiefen. Schwunghafte Nachfragebelebungen traten zum Beispiel im Dreißigjährigen Krieg und zur Zeit der Napoleonischen Kriege ein, als die Bleipreise sprunghaft in die Höhe schnellten, oder nach technischen Erfin-

dungen, die die Förderleistungen erheblich steigerten. Den größten Wachstumsimpuls brachte die Verwendung der Wasserkraft: Das in die Schächte geleitete Aufschlagswasser mußte Kehrräder treiben, die wiederum Pumpen und Pochwerke in Bewegung setzten. Um das dafür nötige Wasser zu sammeln, wurden bis 1750 rund 70 Teiche angelegt, die bis heute erhalten geblieben sind. Darunter ist auch der Oderteich, die älteste deutsche und bis 1898 auch die größte mitteleuropäische Talsperre. Kunstvoll angelegte Graben- und Stollensysteme sorgten für die Zu- und Ableitung. Bekannte Persönlichkeiten der damaligen Zeit reisten – quasi als Wissenschaftstouristen – eigens in den Harz, um diese beachtlichen bergbautechnischen Errungenschaften zu besichtigen – darunter auch Männer wie Leibniz und Goethe. Weltweite Bedeutung für den Bergbau erlangten die Erfindungen von Ludwig Dörell und Oberbergrat Albert. Dörell entwickelte 1833 die „Fahrkunst", weil es nicht mehr möglich war, in die bis zu 800 m tiefen Schächte über Leitern einzusteigen. Albert erfand 1834 das Eisendrahtseil, als die zur Erzförderung üblichen Eisenketten mit zunehmender Länge zu schwer wurden.

Bild 2
Früher Energiequelle für den Stollenbetrieb: der Stauweiher bei Buntenbock.
Bild 3
Fußgängerzone in Osterode am Harz. Die Stadt besitzt noch viele Bürgerhäuser aus dem 16. und 18. Jh.

6

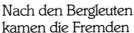

7

Bild 4
„An der Abzucht", eine der ältesten
Straßen in Goßlar.
Bild 5
Der Sösestausee versorgt Bremen
mit Trinkwasser aus dem Harz.
Bild 6
Luftballons auf dem Goslarer
Marktplatz? Dann ist Altstadtfest.
Bild 7
Drei „Brockenhexen" auf dem Weg
zum Tanz in der Walpurgisnacht.

8

Nach den Bergleuten kamen die Fremden

Trotz dieser Erfindungen setzte um die Mitte des 19. Jahrhunderts der Niedergang des Harzer Bergbaus ein, da ein Erzgang nach dem anderen erschöpft war. Heute sind nur noch die Erzgruben bei Bad Grund, Bad Lauterberg und am Rammelsberg bei Goslar in Betrieb.

Die Harzer haben jedoch einen wirtschaftlichen Ersatz gefunden: den Fremdenverkehr, sommers wie winters. Er ist ihre Haupteinkommensquelle. Leider stört er an manchen Stellen das ursprüngliche, historisch gewachsene Landschaftsbild nachhaltig. Skilifte, Autostraßen mit Verkehrsstaus an den Wochenenden und riesige Apartment-Komplexe sind die sichtbarsten Zeugen dafür.

Aber trotz Tourismus blieben viele Relikte aus der Bergbauzeit erhalten. Vielleicht nur deshalb, weil sie dem Fremdenverkehr sogar dienlich sind. Auch altes Harzer Bergmannsbrauchtum, so z. B. das Heimatfest am Polsterberg bei Clausthal-Zellerfeld, wo sich traditionell gekleidete Holzfäller, Kuhhirten, Fuhrleute und Knappen zusammenfinden, oder die in mehreren Ortschaften abgehaltenen, bereits erwähnten Finkenmanöver.

Bild 8
Die Holzkirche von Hohegeiß.

9
Bild 9
Erker an der Gandersheimer Abtei.

Die beiden Gesichter des Harzes

Das, was den Harz in all den Jahrhunderten seines kulturgeschichtlichen Werdegangs einmal ausgemacht hat, wird heute am deutlichsten durch seine beiden wichtigsten Städte – Goslar und Clausthal-Zellerfeld – verkörpert: zwei vollkommen gegensätzliche Landschaftsbilder, ein reizvolles Kontrastprogramm. Goslar, die geschichtsträchtige Kaiserstadt mit ihren reich verzierten Fachwerk- und Steinbauten, liegt einem Wächter gleich auf der Landschaftsgrenze zwischen dem Gebirge und seinem Vorland. Sie repräsentiert politische und kaufmännische Macht. Clausthal-Zellerfeld, die offene freie Bergstadt mit den schlichten Bergmannshäusern und den umliegenden Teichen, steht für die erschaffende, werktätige Seite des Harzes. Wer diese noch einmal ausführlich Revue passieren lassen will, nimmt sich die Zeit für einen Besuch des Oberharzer Heimatmuseums, das zu den bedeutendsten Bergbaumuseen der Welt zählt.

Was es sonst noch zu sehen gibt

Wer auf den Spuren des historischen Bergbaus durch den Harz reist, erlebt den Werdegang dieser eigenwilligen Kulturlandschaft aus heutiger Sicht. Daneben verdienen aber auch noch andere Sehenswürdigkeiten den einen oder anderen Umweg: beispielsweise die „Quadratmeile der Geologie" im Okertal, wo Hobbygeologen aus aller Welt mit dem Hammer unterwegs sind, oder die Mineraliensammlung der Technischen Universität Clausthal-Zellerfeld und der Romkerhaller Wasserfall mit den nahegelegenen Kästeklippen. Gern besucht werden auch die Iberger Höhle und die Einhornhöhle, beides Tropfsteinhöhlen im südwestlichen Harzvorland, deren Karstwasser in der nahen Rhumequelle – einer der größten in Europa – wieder zutage tritt. Sicherlich gehören auch noch die Klosterruine von Walkenried (13. Jh.) und die Stabkirche von Hahnenklee auf den Reiseplan. Letztere ist das bekannteste Beispiel der bodenständigen Harzer Holzbauarchitektur, die einst so typisch für die Bergstädte war.

Bild 10
Als Vorbilder der Harzer
Holzkirchen dienten die
norwegischen Stabkirchen.
Der Innenraum der Gustav-Adolf-
Kirche in Hahnenklee ist
prächtig geschmückt und mit
Schnitzereien verziert.
Sie wurde 1908 erbaut.
Das Holz dafür spendete Kaiser
Wilhelm II, der ein
ausgesprochener Nordland-
liebhaber war.

10

TALSPERREN UND BRÜCKEN – AKZENTE IM SAUER- UND SIEGER- LAND

Fachwerk prägt über weite Strecken das Landschaftsbild zwischen Ruhr und Sieg. Ein eindrucksvolles Beispiel dafür ist das Fachwerkstädtchen Freudenberg.

Freudenberg im Siegerland

Zwischen Ruhr und Sieg

Zwischen Ruhr und Sieg breiten sich drei Landschaften aus, deren naturräumliche Kennzeichen eigentlich sehr ähnlich, größtenteils sogar identisch sind. Die kulturräumliche Entwicklung hat sich diesem Umstand angepaßt – bis auf wenige Kleinigkeiten. Es ist die Rede von drei Bergländern: von Sauerland, Siegerland und Bergischem Land. Alle drei Gebiete gehören zum östlichen Rheinischen Schiefergebirge, dessen nördlichen Teil sie gemeinsam bilden; zusammenfassend werden sie auch Süderbergland genannt. „Land der 1000 Berge" oder „Wasserturm Deutschlands" sind häufig zu hörende und auch treffende Beinamen, die für alle drei Teilgebiete passen. Und eigentlich könnte man noch einen dritten hinzufügen: Land der Kleineisenindustrie.

Ohne Berge kein Wasser – ohne Wasser keine Industrie

Auf diese Kurzformel läßt sich der Werdegang der Kulturlandschaft zwischen Ruhr und Sieg bringen, denn die geschichtliche Entwicklung ist hier in der Tat nach diesem einfachen Schema abgelaufen. Und an den einmal entstandenen Wirtschaftsstruktu-

ren hat sich bis zum heutigen Tag trotz aller um sich greifenden Veränderungen nichts geändert: lediglich, daß seit etwa 80 Jahren auch das im Norden und Westen angrenzende Ballungsgebiet an Ruhr und Rhein vom Wasser- und Waldreichtum des Süderberglands profitiert. Zwölf größere Talsperren liefern dorthin nämlich das notwendige Trink- und Brauchwasser, und gleichzeitig dienen die Stauseen und ihre waldreiche Umgebung der Bevölkerung des rheinisch-westfälischen Reviers als willkommene Freizeit- und Naherholungsgebiete.

Beginnen wir mit dem ersten Glied der Entwicklungskette, mit den 1000 Bergen. Sie sind noch nicht alt – geologisch gesehen –,

sondern 10–20 Millionen Jahre jung. Noch im älteren Tertiär erstreckte sich im Bereich des heutigen Rheinischen Schiefergebirges der Überrest eines abgetragenen Gebirges – eine endlose und eintönige ebene Rumpffläche. Erst als diese im jüngeren Tertiär angehoben wurde, entstanden die 1000 Berge. Mit der Heraushebung der Rumpffläche setzte nämlich eine starke Wiederbelebung der Erosion ein. Bäche und Flüsse begannen wieder, sich in den Untergrund einzuschneiden. Und sie brauchten wirklich nicht lange, um diese Landschaft in ihrem heutigen Erscheinungsbild herauszumodellieren.

Die Hebung der Rumpffläche war nicht überall gleich stark. Im Südosten war sie am intensivsten. Hier erhebt sich das Rothaargebirge mit dem weithin bekannten Kahlen Asten (841 m). Höchster „Gipfel" des Sauerlands ist jedoch nicht er, wie fälschlich fast überall behauptet, sondern der Langenberg (843 m) nahe Willingen. Nach Nordwesten wird der Hebungsbetrag immer geringer. Dieser Abdachungsrichtung folgt auch der Lauf der meisten Flüsse. Sie streben fast alle dem Rhein zu, wobei viele zunächst in die Ruhr einmünden. Nur zwei größere Flüsse wenden sich der Weser zu: die Diemel und die Eder, die südlich des Rothaargebirgskammes entspringt, der als Wasserscheide zwischen Rhein und Weser fungiert.

Bild 1
So könnte er ausgesehen haben, unser Vorfahre, der Neandertaler.
Bild 2
Weite Felder im Sauerland.
Bild 3
Auftakt zur Briloner Schnade. Bei diesem alten Brauch werden die Gemarkungsgrenzen abgeschritten. Dabei schubst man die jungen Männer auf die Grenzsteine. So wollte man ihnen früher ihren Landwehrposten zeigen.

5

6

7

Bild 4
Schloß Crottorf im Bergischen Land.
Bild 5
Die sorgfältig renovierte
„Bonte Kerke" mit herrlichen Wand-
malereien, die aus dem 14. und
15. Jh. stammen.
Bild 6
Das im 17. Jh. ausgebaute Herren-
haus von Schloß Ehreshoven.

Der deutsche „Wasserturm"

Das Talnetz zwischen Ruhr und Sieg ist sehr dicht ausgebildet. Dies ist eine Folge überdurchschnittlich hoher Niederschläge. Am Kahlen Asten regnet bzw. schneit es an 247 Tagen im Jahr, und das Ergebnis ist beeindrukkend: 1471 mm Niederschlag jährlich, etwa doppelt soviel wie beispielsweise in Kiel! Ähnlich hohe oder sogar höhere Werte werden nur im Schwarzwald, im Harz und in den Bayerischen Alpen erreicht.

Kommen wir nun zurück zum Süderbergland mit seinen relativ tiefen Tälern. Hier haben die Flüsse ein ziemlich starkes Gefälle und führen aufgrund der hohen Niederschlagsmengen sehr viel Wasser. Beides zusammen bewirkt eine verstärkte Erosionsleistung, deren Ergebnis eben jene Täler sind.

8

Bild 7
Morsbach im Bergischen Land.
Bild 8
Metallschleiferin bei der Arbeit.
Bild 9
Schon unsere Vorväter brauchten
Eisen.
Eine historische Eisenschmelze.

9

Eisenzeit und Eisenerz gehörten zusammen

Die hohen Niederschläge haben aber noch eine weitere Folge: Sie sind der Landwirtschaft ausgesprochen hinderlich – man kann im wesentlichen nur eine wenig intensive Grünlandwirtschaft betreiben. Wälder hingegen kommen mit solchen Bedingungen ganz gut zurecht. Für eine frühe Besiedlung des Süderberglandes mußte es also andere Anreize als die Aussicht auf eine wenig ertragreiche Landwirtschaft gegeben haben. Und diese Anreize waren in der Tat vorhanden: Eisenerze im Siegerland und ganz früher auch im Bergischen Land. Schon um 1000 v. Chr. hatten hier umherschweifende Germanenvölker die Erzvorkommen entdeckt, und um 500 v. Chr.

wurden bereits größere Eisenmengen abgebaut und „verhüttet".

Dabei kamen den frühgeschichtlichen „Eisenkochern" die dichten Wälder zugute, denn sie lieferten das zur Verhüttung notwendige Brennmaterial.

Im Mittelalter wurde die Eisenproduktion schon wesentlich „professioneller" betrieben. Dabei erwiesen sich die Täler von Wupper, Vollme, Lenne und Hönne als besonders geeignete Standorte. Die Flüsse waren natürliche „Verkehrswege", um das Erz und die zur Verhüttung benötigte Holzkohle zusammenzuführen. Für ländliche Siedlungen war in den Tälern allerdings kein Platz. Die Talböden sind nicht breit genug, da die Flüsse sich tief ins Gebirge eingeschnitten haben, und an den steilen Talhängen war ebenfalls keine Landwirtschaft möglich. Bäuerliche Siedler, die sich im Gefolge der Schmelzöfen und Kohlenmeiler einstellten, mußten sich also auf den Hochflächen niederlassen, die gerodet wurden. Dort schmiegen sich die Höfe in den Windschutz von Quellmulden, und die wenigen Felder, bestellt mit Roggen und Kartoffeln, vertragen gerade noch das herbe Klima auf den kahlen Höhen. Es überwiegen aber Viehhaltung und Grünlandwirtschaft.

Bild 1 und 2
Noch heute sind die grauen Schieferplatten, die dem Rheinischen Schiefergebirge seinen Namen gaben, beliebtes Baumaterial. Mit ihnen deckt man Dächer und beschlägt Fassaden.

Vorläufer des Ruhrgebiets

Die planmäßige Besiedlung des Süderberglands setzte im 11. Jahrhundert ein. Rund 300 Jahre später war auf der Basis von Eisenerzen, Wasserkraft und Holzkohle schon eine beachtliche „Kleineisenindustrie" entstanden. Es wurden hauptsächlich Panzerhemden hergestellt. Die traditionelle Drahtzieherei kam erst im 15. Jahrhundert auf.

Die natürlichen Eichen-Buchen-Wälder wurden aufgrund des großen Holzbedarfs der Schmelzöfen sehr schnell verbraucht.

Es entstanden die sogenannten Hauberge, Eichen-Buchen-Niederwälder, die alle 18 Jahre abgeholzt wurden. Die gesamte Organisationsarbeit, die dafür nötig war, wurde von einer Genossenschaft übernommen. Als Nebenprodukt der Holzkohlenherstellung fiel genügend Gerberlohe ab, um die örtlichen Gerbereien mit Energie zu versorgen. Im 18. Jahrhundert war das Märkische Sauerland die am stärksten industrialisierte Region Preußens, und auch das Siegtal, Hauptlieferant der Eisenerze, war eine richtige Industriegasse mit eisen- und blechverarbeitenden Betrieben. Und das ist bis heute so geblieben, obwohl die letzte Erzgrube 1962 aus Rentabilitätsgründen geschlossen wurde.

Bild 3
Im Siegener Museum kann man diesen Bergwerkstollen besichtigen.
Bild 4
In dieser Schieferwerkstatt werden die Schieferplatten verarbeitet.

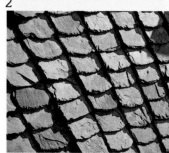

Industrialisierung – aus bäuerlicher Not geboren

Im Bergischen Land verlief die Vorbereitung der modernen industriellen Entwicklung auf ganz ähnliche Weise. Auch hier waren die natürlichen Voraussetzungen für die Landwirtschaft denkbar ungünstig, so daß die Kleinbauern einem Nebenerwerb nachgehen mußten, um ein Zubrot zu verdienen. Die meisten arbeiteten als Weber oder Spinner. Daraus entwickelte sich, im Zusammenspiel mit dem Wasserreichtum des Wuppervierecks, die in den Tälern angesiedelte Textilindustrie von Barmen/Elberfeld.

Auf den Höhen wurde Eisenerz gewonnen, Grundlage der früher hier weit verbreiteten Eisenschmelzereien. Dank der günstigen Marktlage zum Ruhrgebiet entwickelte sich dann auf der traditionellen Erzbasis die Schneidwarenindustrie von Solingen und die Remscheider Werkzeugindustrie. Heute beziehen die Betriebe ihre Rohmaterialien natürlich aus dem nahen Revier. Die lokalen Eisenschmelzen gibt es längst nicht mehr.

Die Industrialisierung der Sauerlandtäler hat schon relativ früh einen Stand erreicht, der der ansässigen Bevölkerung ein angemessenes Einkommen ermöglichte. Not herrscht hier schon lange nicht mehr. Und trotz Industrie kommen an jedem Wochenende Tausende aus dem Ruhrgebiet, die hier für ein paar Tage oder Stunden im Grünen sein wollen.

Die sichtbaren Auswirkungen der Industrie auf die Landschaft sind im Sauerland erheblich geringer als im Ruhrgebiet, so daß die Besucher meist gar nicht bemerken, daß auch hier Umweltprobleme existieren.

Daß das östliche Sauerland davon etwas weniger betroffen ist, hat auch historische Gründe. Die früheren kurkölnischen Landesherren standen dem technischen Fortschritt eher skeptisch gegenüber, während die Herren des westlichen, Märkischen Sauerlandes die Industrialisierung vorantrieben.

Bild 6
Der Altenburger Dom aus dem 13./14. Jh. wurde von 1835–1846 restauriert.

Bild 5
Typisch, die Fachwerkhäuser in Dhünn mit ihren schieferbeschlagenen Wetterseiten.
Bild 7
Patrizierhaus in Sippelbach.
Bild 8
Blick in die Dechenhöhle.

Bild 9
Das moderne Bensberger Rathaus harmoniert ausgezeichnet mit dem alten Bergfried.
Bild 10
Im gotischen Rathaus von Attendorn ist heute das Kreisheimatmuseum.

WEITE TÄLER, DICHTE WÄLDER – MITTELGEBIRGE IN MITTELDEUTSCHLAND

Das Schloß Fasanerie bei Fulda liegt inmitten von Feldern und Wäldern. Dieses Gebiet zwischen Rhön und Vogelsberg wird dort, wo es möglich ist, landwirtschaftlich genutzt.

Schloß Fasanerie bei Fulda

Bild 1
Bischofsheim in der Rhön.
Bild 2
Bildstock am Wegesrand.
Bild 3
Vulkanlandschaft Rhön.
Bild 4
Das barocke Residenzschloß der
Fürstäbte in Fulda.
Bild 5
Das Rote Moor auf einem Hoch-
plateau der Rhön.
Bild 6
Vogelperspektive des romantischen
Städtchens Alsfeld.
Bild 7
Basalt, Charaktergestein der Rhön,
sondert sich säulenförmig ab.

Zwischen Wasserkuppe und Katzenbuckel

Die Wasserkuppe ist der höchste Berg der Rhön (950 m), und der Katzenbuckel (626 m) überragt alle seine Nachbarn im Odenwald. Beide Berge sind vulkanischen Ursprungs und ragen aus einer mächtigen Gesteinsdecke aus Buntsandstein heraus, die das Landschaftsbild zwischen diesen beiden Erhebungen verbindet und weitgehend prägte und prägt. Buntsandstein ist gleichbedeutend mit kärgsten Böden, und das wiederum bedeutete bis vor wenigen Jahrzehnten noch Armut. Arm sind die Bewohner von Rhön, Spessart und Odenwald aber längst nicht mehr, und die kargen Böden sind heute weitgehend unberührte Landschaft, die im Zeitalter der Umweltzerstörung immer wertvoller wird.

Vulkanland im hessischen Osten

Wie sieht die Rhönlandschaft aus? Man unterscheidet von Süden nach Norden die Süd-rhön, die Hohe oder Lange Rhön und die Kuppige Rhön oder Vor-

derrhön. In der Vorderrhön er-kennt man noch am einfachsten die vulkanische Landschafts-geschichte des Gebirges. Hier durchstießen im Tertiär Vulkan-schlote den Untergrund. Ihre Füllungen aus vulkanischem Gestein waren härter als die Umgebung, und die Abtragung präparierte kegelförmige Berg-gestalten heraus. Man spricht zwischen Bad Hersfeld und Hün-feld deshalb auch vom „Hessi-schen Kegelspiel". Markantester Berg dieser Region ist die Mils-burg, eine weithin sichtbare Er-hebung, deren beherrschende Lage sich bereits die Kelten zu-nutze machten. Sie legten hier ei-nen mächtigen Ringwall an. Die Hohe Rhön ist der Rest einer Ba-saltdecke, die von den Flüssen in einzelne Erhebungen zerschnit-ten wurde. Streckenweise ist der flächenhafte Charakter der frü-

heren Basaltdecke noch erhal-ten. In diesem Teil der Rhön er-hebt sich die Wasserkuppe. In der Südrhön tritt der vulkanische Charakter stark in den Hinter-grund, weil hier die Abtragung am stärksten war.

„Das Land der armen Leute"

Das Gebirge war von Natur aus ein siedlungsfeindliches Wald-land. Dennoch: Schon um 800 schob sich die Besiedlung ent-lang der Täler allmählich in die Rhön vor. Träger der Erschlie-ßung waren hauptsächlich das Hochstift Würzburg und die Klö-ster in Hersfeld und Fulda; letzte-res wurde von Bonifatius gegrün-det, der 754 im Dom zu Fulda be-stattet wurde. Doch auch weltli-

7

8

9

che Herren fanden Interesse an der Besiedlung und Kultivierung der Rhön. Das führte zu ständigen Grenzkonflikten, so daß selbst die Kirchen zu Burgen ausgebaut wurden. Die größte Kirchenburg steht heute noch in Ostheim. Diese Unruhen verhinderten für rund 1000 Jahre stabile politische Verhältnisse und behinderten damit auch die wirtschaftliche Entwicklung.

Das Grenzlandschicksal blieb der Rhön noch in späterer Zeit als wirtschaftlicher Hemmschuh erhalten. Seit 1945 verläuft die Zonengrenze mitten durch das Gebirge und schneidet den thüringischen Wirtschaftsraum ab. Aber auch die Natur machte den Rhönbewohnern von Anfang an zu schaffen. Extrem hohe Niederschläge und karge Böden erlaubten nur bescheidenen Akkerbau. Roggen, Hafer und Flachs waren die einzigen Feldfrüchte. Daneben betrieb man extensive Grünlandwirtschaft: mehrmähdige Wiesen in den Tälern, Hochweiden sowie Hutungen und einmähdige Wiesen auf den Hochflächen, deren Wälder man im Mittelalter als einzige „Wohlstandsquelle" rücksichtslos abgeholzt hatte.

Heimarbeit und Hausierhandel als Ausweg

Politische und natürliche Unpäßlichkeiten schienen den Rhönbauern noch nicht zu genügen. Sie selbst schufen sich noch ein weiteres Problem, die Besitzersplitterung infolge Realerbteilung. Jede Parzelle wurde zu gleichen Teilen unter den Erben eines Bauernhofes aufgeteilt, so daß die Flur in wenigen Jahrhunderten „atomisiert" war. Schließlich konnte nur noch eine halb-

wegs ertragreiche Nebenbeschäftigung, die sich schließlich sogar zur Hauptbeschäftigung entwickelte, der Not abhelfen. Die Lösungen hießen Leinenweberei aus selbst angebautem und gesponnenem Flachs und Holzschnitzerei. Die Dörfer Sandberg und Waldberg entwickelten sich zu richtigen Umschlagszentren für die hergestellten Waren; von hier „schwärmten" die Hausierer aus, um ihr Geschäftsglück zu versuchen.

Aber trotz allen Heimarbeiterfleißes, die Übervölkerung der Rhön zwang seit dem 18. Jahrhundert zu Abwanderungen. Viele mußten sich zur Heuernte in der Wetterau verdingen oder zur Zuckerkampagne in der weit entfernten Soester Börde, manche kamen als Hilfsarbeiter ins Ruhrgebiet oder wurden „Hollandgänger".

Bild 8
Zur Salatkirmes in Ziegenhain tragen schon die jüngsten Schwälmer Tracht.
Bild 9
Die „Kreuze von Golgatha" auf dem Kreuzberg, dem „heiligen Berg der Franken".
Bild 10
Heiratsmarkt in Oberelsbach.
Bild 11
Der Dom in Fulda. Das Innere dieses gewaltigen Barockbaus ist mit viel Stuck und schönen Stuckfiguren geschmückt. Ein Relief zeigt das Martyrium des Bonifatius.

10

11

1

2

Die Lösung: Pendel- und Fremdenverkehr

Das „Armenhaus Rhön" sollte dennoch nicht auf alle Zeiten Hunger leiden. Doch brachte erst das Automobil als Massenverkehrsmittel eine Änderung. Zum einen konnten die Rhönbewohner zu den Industrieansiedlungen in den Gebirgsrandstädten (Fulda, Gersfeld, Bad Neustadt) und sogar nach Schweinfurt oder Frankfurt pendeln, zum anderen kamen Touristen in die hübschen Rhönorte. Die ersten Fremden kamen zwar schon sehr viel früher, aber von ihnen profitierten die Rhönbewohner so gut wie überhaupt nicht. Es waren Kurgäste von Rang und Namen, die sich in Bad Brückenau, der Sommerresidenz des Bayernkönigs Ludwig I., erholten. Auch Bad Kissingens Heilquellen waren das Ziel Prominenter. Bismarck weilte insgesamt 15 Mal hier. Er soll nach einem mißglückten Attentat, das in Bad Kissingen auf ihn verübt worden war, gesagt haben, er verdanke die zweite Hälfte seines Lebens dem lieben Gott und . . . Bad Kissingen! Seit 1919 hat die Wasserkuppe eine besondere Bedeutung gewonnen. Der Versailler Vertrag hatte Deutschland den Bau von Motorflugzeugen verboten, und der flugbegeisterte Oskar Ursinus begann deshalb, auf dem kahlen Rhönberg Segelflugwettbewerbe zu organisieren. Inzwischen ist die Wasserkuppe dank der besonders günstigen thermischen Verhältnisse zum Segelfliegerparadies avanciert, und in der Um-

gebung gibt es heute sogar mehrere Segelflugwerften. Zum gewinnbringenden Fremdenverkehrsmagneten entwickelte sich die Hochrhön jedoch erst nach dem Zweiten Weltkrieg. Selbst die Mönche auf dem Kreuzberg, dem „heiligen Berg der Franken", profitieren vom Strom der Fremden. Das 1681–1692 erbaute Franziskanerkloster auf dem Gipfel, ursprünglich zur Betreuung der Pilgerscharen gegründet, nimmt sich heute hauptsächlich der Touristen an, die sich im Schatten der drei Kreuze von Golgatha am dunklen und süffigen Klosterbier laben.

Das Schicksal der einstigen Heimindustrie war mit dem Aufkommen des Fremdenverkehrs schon sehr bald besiegelt. Flachs wurde schon Ende des vorigen Jahrhunderts kaum mehr angebaut, und der Rückgang der Holzschnitzerei war nach 1950 auch nicht mehr aufzuhalten. Die 1862 in Bischofsheim eingerichtete erste Holzschnitzerschule Deutschlands besteht jedoch heute noch – als staatliche Lehranstalt –, und einige Schnitzerwerkstätten gibt es auch noch. Ihre Hauptartikel sind allerdings keine Gebrauchsgegenstände wie Messer, Gabeln, Holzschuhe oder Mausefallen, sondern Souvenirartikel für die Fremden.

Bild 1
Aschaffenburg war die zweite Residenz der Mainzer Erzbischöfe. Von 1606 bis 1614 ließen sie das Renaissanceschloß Johannisburg erbauen.
Bild 2
Kleinod im Odenwald: Miltenberg
Bild 3
Mathaisemarkt in Schriesheim.
Bild 4
In Urspringen in der Südrhön werden seit altersher Orgeln gebaut. Hier wird die Tonkontrolle beim Anblasen durchgeführt.
Bild 5
Heidelberg mit seinem weltbekannten Schloß liegt im Neckartal, dort, wo der Fluß den Odenwald verläßt.
Bild 6
Gelnhausens Wahrzeichen sind die Pfalz Barbarossas und die Marienkirche.

3

4

5

6

7

9

10

8

Bild 7
Das Wasserschloß Mespelbrunn ist
ein vielbesuchtes Ziel im Spessart.
Es wurde Anfang des 15. Jh. erbaut
und 1904 romantisch renoviert.
Hier wurde 1545 Fürstbischof Julius
von Echter geboren, der Gründer
der Würzburger Universität.
Bild 8
Quer durch den Odenwald verlief
der römische Limes, von dem noch
immer Überreste zu sehen sind.
Bild 9
Frühling in Weinheim an der
Bergstraße. Hier ist der Winter
früher zu Ende, als in den meisten
anderen Gegenden Deutschlands.
Bild 10
An der Bergstraße sind Sommer-
tagsspiele weit verbreitet. Sie finden
am dritten Sonntag vor Ostern statt.
Der Winter wird vom Sommer
vertrieben, eine von Symbolfiguren
ausgeführte Zeremonie.

Wo einst die Räuber hausten

Seit Wilhelm Hauff seine Erzäh-
lung „Das Wirtshaus im Spessart"
veröffentlichte, gehört der Spessart, der sich jenseits des unteren
Sinntals an die Südrhön an-
schließt, zu den populären deutschen Landschaften. Das war vor
mehr als 160 Jahren. Das berühmte Wirtshaus mußte inzwischen einer Autobahnraststätte
weichen, und Räuber gibt es im
Spessart schon lange nicht mehr.
Aber die endlos erscheinenden
Wälder früherer Jahrhunderte,
die gibt es heute immer noch –
weniger im westlichen Gebirgs-
teil, dem mit fruchtbaren Böden
ausgestatteten Vorspessart, sondern hauptsächlich im östlich an
einer Geländestufe ansetzenden
Hochspessart. Er besteht aus
Buntsandstein, der nur äußerst
karge Böden liefert, auf denen
außer Wald kaum etwas wächst.
Die Besiedlung des Waldgebir-
ges ließ denn auch bis ins Hoch-
mittelalter auf sich warten. Dann
wurde sie durch die Mainzer
Fürstbischöfe, die teilweise in
Aschaffenburg residierten, vor-
angetrieben. Es wurden Waldhu-
fendörfer mit geplantem Grundriß gegründet. Die einzelnen
Höfe waren zu beiden Seiten einer Straße aufgereiht, und die je-
weilige Feldflur schloß sich als
langer Streifen hinter jedem Hof
an. Die Siedler waren aber nur in
zweiter Linie Landwirte. Sie widmeten sich hauptsächlich der
Köhlerei und der Herstellung
von Glas und Eisenwaren –
energieintensiven Branchen also. Nördlich der Eisenbahnlinie
Aschaffenburg – Lohr wurden
die Wälder bis zum 18. Jahrhundert total abgeholzt und erst im
19. Jahrhundert wieder aufgeforstet – mit Kiefern. Ursprünglicher
Laubwald existiert nur noch südlich dieser Linie. Heute gibt es
natürlich längst keine Köhler und
Glasbläser mehr im Spessart.
Auch die frühere Textil- und Ta-
bakwaren-Heimarbeit wird nicht
mehr ausgeübt. Aus den einstigen „Schneiderdörfern" sind
Pendlergemeinden geworden.
Ihre Bewohner fahren in die
Industriestädte am Untermain
zur Arbeit. Die Wälder gehören heute ganz den Erholungs-
suchenden aus dem Rhein-
Main-Gebiet.

Nach den Nibelungen kamen die Mönche

Sowohl geologisch als auch geographisch stellt der Odenwald
die Fortsetzung des Spessarts
jenseits des Mains dar. Auch hier
bildet der Buntsandstein mit seinen kargen Böden eine weite,
dicht bewaldete Hochfläche, die
von tief eingeschnittenen Tälern
gegliedert wird. Fruchtbarere Böden und ältere Besiedlung besitzt
nur der Vordere Odenwald, der
entlang der Bergstraße unmittel-
bar an die Oberrheinische Tiefebene grenzt.
Der Sage nach soll Hagen von
Tronje am Lindelbrunnen bei
Mossautal-Hüttenthal Siegfried
ermordet haben. Damals gingen
die Nibelungen in den dichten
Wäldern des Odenwalds auf die
Jagd. Siedlungen gab es noch keine. Auch die zuvor schon in dieser Gegend weilenden Römer
bauten hier lediglich ihren Limes,
ohne gleichzeitig Siedlungen zu
gründen. Dieses taten erst die
Klöster Amorbach und Lorsch.
Die Mönche drangen im 11./12.
Jahrhundert durch die Täler ins
Gebirge vor und gründeten
Waldhufensiedlungen. Aber
ähnlich wie im Spessart oder in
der Rhön waren auch hier die
Grundlagen der Landwirtschaft
nicht ausreichend, um die Land-
bevölkerung zu ernähren. Hohe
Niederschläge, schlechte Böden
und Erbteilung führten auch im
Odenwald zur Entwicklung einer
„Heimindustrie", die auf der Basis
des Waldes gründete. Eine Besonderheit ist die Elfenbein-
schnitzerei in Erbach, die ange-
sichts der miserablen wirtschaftlichen Lage der Reichsgrafschaft
Erbach vor 200 Jahren von Graf
Franz I. ins Leben gerufen wurde.
Dieser Gewerbezweig konnte
sich bis zum heutigen Tag behaupten. Ansonsten entwickelte
sich auch im Odenwald ein lebhafter Berufspendlerverkehr in
die Randstädte des Gebirges,
während die Wälder immer
mehr den Touristen überlassen
werden, die hier Ruhe und Erho-
lung finden wollen.

VON DEN EIFEL-MAAREN IN DIE WÄLDER DES HUNSRÜCK

Fast fühlt man sich zurückversetzt ins Mittelalter. Inmitten von Weinbergen liegt, mit zahlreichen Türmen bewehrt, Burg Cochem an der Mosel.

Burg Cochem

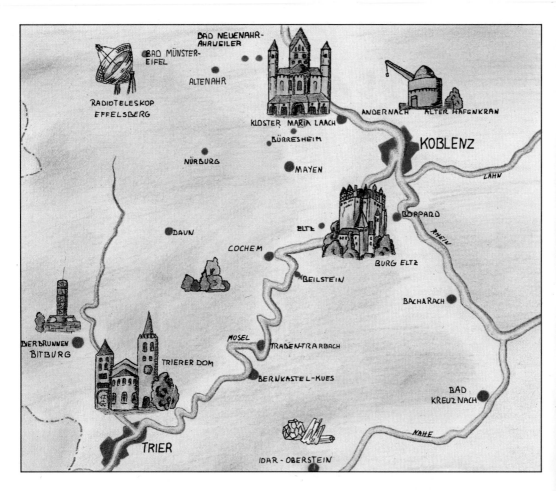

Vulkane, Wälder und Wein

Eifel und Hunsrück sind zwei eng miteinander verwandte Landschaften, die früher eine Einheit waren, bevor sie vor etwa 30 Millionen Jahren durch die Mosel voneinander getrennt wurden. Sie bilden gemeinsam die Westflanke des Rheinischen Schiefergebirges, das sich jenseits der belgischen und luxemburgischen Grenze im Hohen Venn, in den Ardennen und im Ösling fortsetzt.

Von der Natur stiefmütterlich behandelt

Eifel und Hunsrück gehörten über Jahrhunderte zu den ärmsten Gegenden Deutschlands, und das gilt in gewisser Weise immer noch. Zwar sind die Menschen hier heute längst nicht mehr arm, aber die Bevölkerungsdichte des Berglands liegt ganz beträchtlich unter dem Bundesdurchschnitt. In Zahlen ausgedrückt: Eifel und Hunsrück 50-75 Einwohner je Quadratkilometer, Bundesrepublik Deutschland mit Berlin-West etwa 246 Einwohner je Quadratkilometer. Diese Werte zeigen sehr deutlich, daß Eifel und Hunsrück offenbar zu den „strukturschwachen" Räumen Deutschlands gehören, d.h. zu denjenigen Landschaften, deren wirtschaftliche Entwicklung hinter dem Durchschnitt zurückgeblieben ist. Die Folge ist eine stetige Abwanderung der mobilen und in aller Regel jüngeren Bevölkerung in die Industriegebiete an den Gebirgsrändern.

„Schuld" an dieser Entwicklung waren die natürlichen Bedingungen, die den Landbau erschwerten. Die beiden Gebirge bestehen größtenteils aus unterdevonischen Grauwacken, Tonschiefern, Sandsteinen und Quarziten, Gesteinen also, auf denen sich keine nährstoffreichen Böden bilden können. Einzige Ausnahme bildet die sogenannte Kalkeifel, eine aus mitteldevonischen Kalksteinen und Dolomiten aufgebaute Muldenzone, die sich als schmaler Streifen vom Bitburger Land im Süden bis zur Kommerner Bucht im Norden mitten durch die Eifel zieht. Hier kommen fruchtbare Böden vor, so daß Weizen angebaut wird. Ansonsten gedeihen nur Hafer, Roggen und Kartoffeln, im Hunsrück früher auch Flachs, denn die klimatischen Verhältnisse lassen nur anspruchslose Feldfrüchte aufkommen. Den Hauptzweig der Landwirtschaft bildet die extensive Viehwirtschaft.

Bild 1
Bitburg ist eine Stadt des Bieres, davon zeugt nicht nur die Brauerei, sondern auch der Bierbrunnen.

Bild 2
Die imposante Urfttalsperre in der Nordeifel.
Bild 3
Die malerische, fast südlich anmutende Saarfront von Saarburg ist des öfteren hochwassergefährdet.
Bild 4
Säubrennerkirmes in Wittlich. Gebratene Schweine gehören dazu.

Wo unsere Vorväter Vulkane rauchen sahen

Eine Besonderheit der Eifel sind ihre zahlreichen Vulkane, die in Deutschland etwas Einmaliges darstellen. Einmalig deshalb, weil der Eifelvulkanismus erst am Ende der letzten Eiszeit erloschen ist.

5

6

Bild 5
Typisch für die Nordeifel:
Fachwerkhäuser, die sich hinter
Hecken verstecken.
Bild 6
Im Gerolsteiner Adlerpark kann
man Flugvorführungen der
Raubvögel sehen.
Bild 7
Wer wird zuerst ins Wasser fallen
beim traditionellen Schifferstechen?
Bild 8
Das Klima der Eifel ist rauh. Doch die
tiefeingeschnittenen Täler von Ahr
und Mosel sind windgeschützt. Hier
reifen weltbekannte Weine heran.

Auf den Spuren der Römer

Seit wann Eifel und Hunsrück bewohnt sind, läßt sich anhand vorgeschichtlicher Funde nur in etwa nachweisen. Siedlungsspuren gibt es seit der Bronzezeit, also vom 3. bis zum 1. Jahrtausend v. Chr. Besiedelt wurde die Eifel erst relativ spät, nämlich im Zeitraum zwischen 600 und 400 v. Chr. Die wertvollsten Grabfunde stammen aus dem 6.–2. Jahrhundert v. Chr. Damals lebten Kelten in der Eifel und im Hunsrück. Sie bildeten hier sogar eine eigenständige Kulturgruppe, die Hunsrück-Eifel-Kultur.

Etwa ein halbes Jahrhundert vor der Zeitenwende kamen dann die Römer. Ihre bedeutendste Stadt nördlich der Alpen wurde Trier, die im 3. Jahrhundert sogar Kaiserresidenz war. Auch Köln und Mainz entwickelten sich zu wichtigen römischen Zentren in Germanien. Vom Bitburger Gutland aus bauten die Römer eine Verbindungsstraße quer durch die gesamte Eifel nach Köln. Sie diente als Heer- und Handelsstraße und war bald der wichtigste Landweg zwischen Trier und dem Niederrhein. Eine zweite Straße führte über den Hunsrück von Trier nach Mainz.

Mindestens ebenso wichtig war die Mosel als Wasserweg. Hier herrschte schon zur Römerzeit sehr lebhafter Schiffsverkehr, und fast jedes Dörfchen an der Mosel blickt auf einen römischen Vorgänger zurück. Kein Wunder, denn die Römer hatten den Weinbau mit nach Gallien gebracht, dessen Hauptstadt Trier

7

Charakteristisch für die Hocheifel sind tertiäre Vulkankegel wie die Hohe Acht (747 m), die Nürburg (678 m) und zahlreiche andere. Diese waren längst erloschen, als die ersten Menschen die Erde bevölkerten. In der Gegend um Maria Laach sowie im Gebiet um Daun, Manderscheid, Gerolstein und Hillesheim wurden dagegen noch bis vor 11000 Jahren gewaltige Aschenregen gefördert. Der vorläufig letzte Ausbruch ereignete sich am Laacher See. Am Nordostrand des heutigen Sees befand sich ein Krater, aus dessen Öffnung vulkanische Aschen in die Luft geschleudert wurden, die von den aus westlichen Richtungen wehenden Winden bis ins weiter östlich gelegene Neuwieder Becken befördert wurden. Etwa zur gleichen Zeit entstanden die zahlreichen Eifelmaare. Es handelt sich um mächtige Sprengtrichter, die durch vulkanische Gasausbrüche in die Erdoberfläche gerissen wurden. Sie füllten sich später mit Wasser. Das ausgeworfene Erdreich lagerte sich wallförmig um

8

die Trichteröffnung ab. Man erkennt diese Schuttwälle heute an ihrer Bewaldung. Eine häufig zu beobachtende Erscheinung sind auch die sogenannten Traßlager in einigen Tälern rund um den Laacher See. Es handelt sich um inzwischen verfestigte Aschen-Schlamm-Ströme, die, mit heißen Gasen und Wasserdampf vermischt, über den Kraterrand quollen und sich in die Täler ergossen. Viele der vulkanischen Eifelgesteine finden als wertvolles Baumaterial Verwendung.

war. Von hier aus wurden alle wichtigen und gewichtigen Güter per Schiff transportiert, vor allem Weinfässer, die im Norden, im weinlosen Niederrheingebiet, benötigt wurden. Wie ein solches Weinschiff aussah, kann man im Trierer Landesmuseum betrachten. Dort ist ein in Stein gemeißeltes Weinschiff ausgestellt, das vom Grabmal eines Neumagener Weinhändlers stammt.

Mosel- und Ahrtal – zwei „Wärmegassen"

Das Klima von Eifel und Hunsrück ist nicht gerade „weinbautauglich". Dennoch gibt es hier zwei der bekanntesten deutschen Weinbaugebiete: die Täler von Mosel und Ahr. Das Ahrtal ist das nördlichste deutsche Rotwein-Anbaugebiet. Der Weinbau geht hier, wie an der Mosel, auf die Römer zurück. Bei Bad Neuenahr entdeckte man bei Grabungen in vier Meter Tiefe einen Weinberg aus der Römerzeit. Der Ahr-Weinbau wird schon im Jahr 770 urkundlich erwähnt. Erst gegen Ende des 17. Jahrhunderts baute man vorwiegend Rotweine an, und seitdem hat sich daran kaum etwas geändert.

1

Mit Fug und Recht läßt sich behaupten, daß der Weinbau in den beiden Flußtälern ohne deren besondere geologischen Bedingungen gar nicht möglich wäre, denn die Oberflächengestalt der Landschaft muß hier schon mitwirken, um die einfallende Sonnenenergie tatsächlich in Wärme umzusetzen. Beide Täler sind sehr tief in den Gebirgskörper eingeschnitten, so daß ein optimaler Schutz vor kalten Winden besteht. Außerdem absorbieren die dunklen Schiefergesteine und Grauwacken tagsüber sehr viel Strahlungsenergie, die nachts wieder an die Reben abgegeben wird. Die Rebhänge

befinden sich fast ausschließlich an den Steillagen, da hier die Sonnenstrahlen senkrecht auftreffen und ihre Energie somit erheblich besser genutzt werden kann.

Der Weinbau lockt viele Besucher, die einen guten Tropfen kosten wollen, an Ahr und Mosel. Zu den sehenswerten Städ-

Bild 1
In Nennig wurden im letzten Jahrhundert die Überreste einer römischen Villa aus dem 2. Jh. entdeckt. Dabei stieß man auch auf ein Mosaik. Es stellte sich als das größte nördlich der Alpen heraus.

Bild 2
An die Anwesenheit der Römer erinnert auch das Neumagener Weinschiff, das als Rekonstruktion an Ort und Stelle steht. Das Original befindet sich im Trierer Landesmuseum.

Bild 3
Die Nürburg erhebt sich auf einer der in der Eifel sehr zahlreichen Vulkanruinen. Die Rennpiste, der berühmte Nürburgring, ist nur einen Steinwurf weit entfernt.

Bild 4
An den Sonnenhängen von Dernau im Ahrtal reifen schwere Rotweine.

3

2

4

ten gehören die alte Römerstadt Trier, Geburtsort von Karl Marx, und Koblenz. Hier bildet die Mündung der Mosel in den Rhein das Deutsche Eck.

Aus der Not geboren – der Nürburgring

In den Tälern von Mosel und Ahr herrschte zu keiner Zeit wirtschaftliche Not. Sie herrschte jedoch, besonders im 19. Jahrhundert, überall sonst in Eifel und Hunsrück. Zu den ungünstigen natürlichen Bedingungen für die Landwirtschaft gesellten sich noch weitere. Die Realorteilung führte zur Zersplitterung der Flur in kleinste Teile, und die grenznahe Lage war gleichbedeutend mit Verkehrsferne. Schiffelwirtschaft war die einzige landwirtschaftliche Möglichkeit der Eifelbewohner, genügend zu essen auf den Tisch zu bekommen. Sie nutzten ihr Land für einige Jahre

wälder lieferten Gerberlohe für die Lederherstellung, Holzkohle zur Verhüttung lokaler Erzvorkommen und außerdem genügend Brennholz für die langen Winter. Im 19. Jahrhundert reichte diese wirtschaftliche Basis jedoch nicht mehr aus, um die stark angewachsene Bevölkerung zu ernähren. Es wurde ein staatliches Arbeitsbeschaffungsprogramm durchgeführt, der sogenannte Eifelfonds. An erster Stelle standen die Aufforstung der Kahlflächen, welche die im Niedergang begriffene Schiffelwirtschaft hinterlassen hatte, und

Bild 5
Die Porta Nigra. Das schwarze Tor war das nördliche Tor des römischen Triers. Es wurde im 2. Jh. erbaut und war Teil der Befestigung, mit der die Römer diese für sie wichtige Stadt schützten. 1037 beschloß Erzbischof Poppo die Anlage zur Kirche umzubauen.

5

der Straßenbau, um die Verkehrslage von Eifel und Hunsrück (Hunsrück-Höhenstraße) zu verbessern. Das bekannteste Projekt war der Nürburgring, eine der renommiertesten Rennstrecken der Welt. Er wurde zwischen 1925 und 1927 gebaut.

Bei den Edelsteinschleifern

Auch im Hunsrück begegnete man der ländlichen Armut durch die Einführung von Nebentätigkeiten. Eine davon, die Edelsteinschleiferei, überdauerte als einzige die Jahrhunderte und entwickelte sich in unseren Tagen zu einer weltbekannten Industrie, während Leinenweberei und Metallverarbeitung eingestellt wurden. Die Edelsteinschleiferei basierte zunächst auf lokalen Achatvorkommen, die mit Hilfe der in den Hunsrücktälern reichlich vorhandenen Wasserkraft zu schönen Schmucksteinen verarbeitet wurden. Inzwischen sind die eigenen Lagerstätten längst erschöpft, und das Rohmaterial wird aus dem Ausland eingeführt. Es werden hauptsächlich Diamanten und andere hochwertige Edelsteine geschliffen. Zentrum dieser hochspezialisierten Industrie ist Idar-Oberstein am Südfuß des Hunsrücks. Von hier aus kann man der Deutschen Edelsteinstraße folgen und verschiedene Betriebe und Museen besichtigen. Ein Besuch des Deutschen Edelsteinmuseums in Idar-Oberstein sollte nicht fehlen.

6

Bild 6
Ein Blick in das tiefeingeschnittene Moseltal bei Müden. Nur die sonnigen Südhänge tragen die steilen Rebterrassen. Die schattigen und kälteren Nordhänge können vom Menschen kaum genutzt werden. Sie hat man den ausgedehnten Wäldern überlassen.

als Schafweide. Danach wurden die Grassoden abgehoben, getrocknet und verbrannt. Anschließend gelangte die Asche als Dünger auf die Felder. Nach einigen weiteren Jahren überließ man die Äcker wieder der natürlichen Begrasung. Daneben wurden die Wälder intensiv genutzt, um verschiedene Nebenerwerbsmöglichkeiten auszuschöpfen. Die Buchen-Nieder-

VOM DRACHENFELS ZUM FELDBERG – URLAUB VON DER GROSSSTADT

Blick vom Rhein auf das vulkanische Siebengebirge. Davor die Rheinfähre „Siebengebirge", sie verbindet die beiden Ufer miteinander. Man sollte es sich nicht nehmen lassen, einmal solch eine schwimmende Brücke zu benutzen und sich den Fahrtwind um die Ohren wehen zu lassen.

Rheinfähre „Siebengebirge"

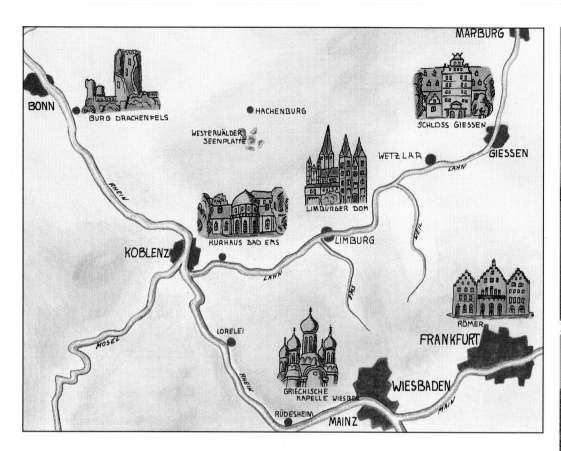

Map labels: MARBURG, BONN, BURG DRACHENFELS, HACHENBURG, WESTERWÄLDER SEENPLATTE, SCHLOSS GIESSEN, WETZLAR, GIESSEN, LAHN, RHEIN, LIMBURGER DOM, KURHAUS BAD EMS, LIMBURG, KOBLENZ, LAHN, WEIL, EMS, MOSEL, LORELEI, RÖMER, FRANKFURT, GRIECHISCHE KAPELLE WIESBN., WIESBADEN, RHEIN, MAIN, RÜDESHEIM, MAINZ

2

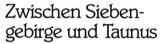

3

4

Zwischen Siebengebirge und Taunus

Zwei alte Gebirge mit sehr jungen Namen. So könnte man den Südostteil des Rheinischen Schiefergebirges charakterisieren. Westerwald hieß früher nur das Gebiet um den Fuchskauten, und erst seit dem 19. Jahrhundert gilt dieser Name für den Gesamtraum zwischen Lahn, Rhein und Sieg. Auch der südwärts anschließende Taunus hat seinen Namen erst seit gut 150 Jahren. Vorher war üblicherweise nur von der „Höhe" oder vom „Hayrich" die Rede. Aber damit ist noch nicht viel über diese beiden Landschaften gesagt, die seit jeher von großen Gegensätzen geprägt sind. Blühende Wirtschaftszentren in den klimatisch begünstigten Teilgebieten sowie ärmliche Landwirtschaft und langjährige Landflucht auf den weiten Hochflächen.

Wo das landwirtschaftliche Genossenschaftswesen begann

Nicht zufällig war ausgerechnet ein Westerwälder, nämlich Friedrich Wilhelm Raiffeisen, der Begründer des deutschen landwirtschaftlichen Genossenschafts-

1

wesens. Raiffeisen, 1818 in Hamm an der Sieg geboren, war Bürgermeister in den Westerwälder Ortschaften Weyersbusch, Flammersfeld und Heddesdorf. Hier bekam er quasi aus erster Hand das Elend der Westerwälder Bauern mit. Überschuldung, Wucherzinsen und Zwangsversteigerungen waren im 19. Jahrhundert an der Tagesordnung. Zum Genossenschaftsgedanken bedurfte es bei der christlich-sozialen Grundeinstellung dieses Mannes nicht viel mehr als dieser Tatsachen.

Ohne die Unzulänglichkeiten der Westerwälder Natur wäre es freilich gar nicht erst zur Notlage der

Landwirtschaft gekommen. Der Westerwald ist, geologisch gesehen, der im Tertiär neuerlich angehobene Rumpf eines lange vorher abgetragenen älteren Gebirges. Unterdevonische Gesteine, vorwiegend Grauwakken, Tonschiefer, Sandsteine und Quarzite, prägen die Landschaft. Im Hohen Westerwald, rund um den Fuchskauten (657 m), gesellen sich noch die Reste einer tertiären Basaltdecke hinzu, die teilweise über bescheidenen Braunkohlenvorkommen lagern. Die Böden, die sich auf diesen Gesteinen bildeten, gehören nicht gerade zu den fruchtbaren, und in Verbindung mit dem bekannt rauhen, wind- und niederschlagsreichen Klima der Westerwälder Hochflächen ist hier nur bescheidenste Landwirtschaft möglich: Roggen-, Hafer-, Kartoffel- und Futterpflanzenanbau in Verbindung mit Viehhaltung in den tieferen Lagen, Weidewirtschaft in den Hochlagen.

Bild 1
Die weltbekannte Rüdesheimer Drosselgasse ist ein Anziehungspunkt für Touristen aus aller Herren Länder.
Bild 4
Montabaur aus der Vogelschau. Das Schloß war einst kurfürstliche Residenz.

5

Heim- und Wander-
gewerbe blieben auf der
Strecke

Wie die Menschen in fast allen
ungünstigen Bezirken versuch-
ten auch die Westerwälder
Bauern, ihre Lage durch heimi-
schen Gewerbefleiß zu verbessern. Im randlich gelegenen
Lahn-Dill-Gebiet entstand auf
der Grundlage der dortigen Ei-
senerzvorkommen sogar ein In-
dustriegebiet, heute Arbeitsplatz
vieler Pendler. Auch das Lahntal,
vor allem Limburg, entwickelte
sich dank günstiger Verkehrs-
verhältnisse und lößreicher Umgebung zu einer Insel relati-
ven Wohlstands. Vom früheren
Heimgewerbe blieben nur einige
wenige Kleinbetriebe übrig,
deren Inhaber es verstanden
haben, sich den Bedürfnissen
des modernen Zeitalters anzu-
passen.

Ausnahme:
die Kannenbäcker

Ein althergebrachter Gewerbezweig, der auf der Grundlage rie-
siger Tonerde-Lagerstätten seit
dem Mittelalter floriert, ist das
Töpferhandwerk im Umkreis
von Höhr-Grenzhausen. Aus
dem früheren Kleingewerbe hat
sich seit dem Ersten Weltkrieg eine gutgehende Keramikindustrie
entwickelt, deren Erzeugnisse
weltweit bekannt sind. Innerhalb
Deutschlands dürfte es kaum
einen Bierkrug, einen Steingut-
topf oder einen westfälischen
Steinhägerkrug geben, der nicht
aus dem Kannenbäckerland
stammt. Die industrielle Ferti-
gung ist weitgehend im Raum
Siershahn/Wirges ansässig, da
die älteren Tonvorkommen erschöpft sind und der Rohstoff

6

7

heute östlich der Montabaurer
Höhe gewonnen wird. Aber
auch Höhr-Grenzhausen besitzt
noch mehrere Großbetriebe und
vor allem an die 80 Kleinbetriebe, die sich auf die Herstellung
von Kunst-, Haushalts- und Gar-
tenkeramik spezialisiert haben.
Außerdem befindet sich hier
Deutschlands einzige staatliche
Ingenieurschule für Keramik.

Der Taunus –
fast ein Spiegelbild

Die Landesnatur des Taunus
kann man getrost als Spiegelbild
dessen bezeichnen, was uns
nördlich der Lahn begegnete –
mit Ausnahme des Kannenbäk-
kerlandes, welches Einmalig-
keitscharakter besitzt. Dafür kann
der Taunus mit seinem zum
Oberrheingraben hin steil abfallenden Südrand renommieren,
denn diese zum Rhein- und
Maingebiet hin geöffnete Landschaft gehört zu den privilegier-
testen ganz Deutschlands. Da ist
zum einen das milde Oberrhein-
klima – nördliche und westliche
Winde hält das Gebirge zurück –,
zum anderen die Nähe zum
Frankfurter Wirtschaftsraum.
Dank des Klimas entwickelte
sich der Rheingau zu einer der renommiertesten deutschen Wein-
gegenden, und entlang einer
geologischen Störungslinie säumen den Gebirgsfuß weitbe-
kannte Heilbäder wie Bad So-
den, Wiesbaden, Bad Homburg
und Bad Nauheim. Dort, wo
Weinbau nicht mehr möglich ist,

8

9

10

ist der Vortaunus eines der größten deutschen Obstanbaugebie-
te. Daneben bietet der nahe
rhein-mainische Industrieraum
der Bevölkerung genügend Arbeitsplätze – direkt vor der Haus-
tür. Die meisten Vortaunusorte
entwickelten sich zu vornehmen
Frankfurter Villenvierteln, und
der Hochtaunus zum Naherho-
lungsgebiet der Frankfurter.

STAHL, WEIN UND DEUTSCH-FRAN-ZÖSISCHE GE-SCHICHTE

Die Saar durchbricht das Rheinische Schiefergebirge in einem tief eingeschnittenen und sehr windungsreichen Tal. Der schönste Mäanderbogen ist die Saarschleife bei Orscholz.

Saarschleife

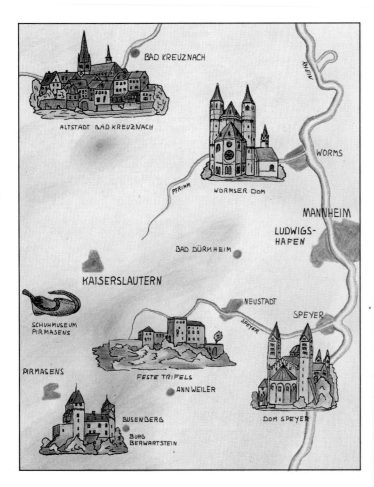

Bild 3
Einen Abstecher lohnt Waldböckelheim an der Nahe mit seinem Kirchlein.
Bild 4
Malerisch am Flußlauf der Nahe gelegen: Bad Kreuznach. Die Stadt wurde schon im 12. Jh. gegründet und erhielt 1290 die Stadtrechte.
Bild 5
In Bad Dürkheim steht das wohl größte Weinfaß der Welt. In seinem Innern ist eine riesige Weinschänke, für etwa 600 Personen.

3

2

4

Von der Pfalz zur Saar

Der von der Saar im Westen und vom Rhein im Osten begrenzte Raum, der sich keilförmig zwischen den Hunsrück im Norden und die deutsch-französische Grenze im Süden schiebt, ist eine Landschaft der Gegensätze. Geologischer Aufbau, Oberflächengestalt, Wirtschaftsformen, Klima und Geschichte ändern ihre Gesichter auf engstem Raum. Rauchende Industrieschlote, Kohlezechen und Abraumhalden wechseln mit stillen Waldbergen; idyllische Flußtäler, ausgedehnte Rebfluren und bizarre Felsenburgen lösen sich ab mit Arbeiter- und Bergmannssiedlungen, alten Reichsstädten und einladenden Winzerdörfern.

1

Bild 1
Kandel, ein kleines Straßendorf am Bienwald.
Bild 2
Das Dahner Felsenland mit bizarren Sandsteinklippen und Burgen.

Wälder, Sandsteinfelsen, Dome und Wein

So könnte man die Besonderheiten der Pfalz prägnant umreißen, wobei zu ergänzen wäre, daß sich die Dome und der Wein auf die Osthälfte, der Wald und die Sandsteinfelsen auf die Westhälfte dieser Landschaft beschränken. Die klare räumliche Trennung in Ost und West ist kein Zufall. Hier hat die Natur äußere Rahmenbedingungen vorgege-

ben, denen sich der Mensch von Anfang an unterwerfen mußte. Die östliche Pfalz wird von der Westhälfte des Oberrheingrabens gebildet. Ein sozusagen „gesegneter" Landstrich, der von Natur aus zu den Gunsträumen Europas zählt. Hier gibt es fruchtbare Böden und optimale klimatische Voraussetzungen für intensive Landwirtschaft, außerdem sind die Geländeformen für den Bau von Verkehrswegen bestens geeignet. Genau das Gegenteil davon finden wir im Westteil der Pfalz. Er besteht aus dem Saar-Nahe-Bergland im Norden und dem Pfälzer Wald im Süden. Beide Bergländer sind im Durchschnitt etwa 500 Meter hoch, und es herrscht ein der Höhenlage entsprechendes kühles Klima. Die Böden – besonders im Pfälzer Wald – sind zudem nur sehr karg, und Ansätze zu größeren Industrieansiedlungen gibt es nur im Landstühler Gebrüch (Kaiserslautern), einer verkehrsgünsti-

gen Senke zwischen Pfälzer Wald und Saar-Nahe-Bergland, sowie in der Gegend von Pirmasens am Ostrand des Pfälzer Waldes. Die Landwirtschaft erreichte im Saar-Nahe-Berg-

5

land nur eine geringe Intensität, und im Pfälzer Wald gibt es sie ohnehin bloß in den Tälern, während die Buntsandstein-Hochflächen vom größten geschlossenen Waldgebiet der Bundesrepublik Deutschland eingenommen werden. Im Süden, im Dahner Felsenland, ragen markante Felsenburgen über das endlose Meer der Baumwipfel empor.

Ein völlig anderes Bild bietet die Pfälzer Landschaft am Oberrhein. Auf den Randhügeln am „Haardt" genannten Steilabfall des Pfälzer Waldes erstreckt sich Deutschlands größtes Weinbaugebiet, und in der Rheinebene reihen sich Tabak-, Getreide- und Gemüsefelder aneinander.

Bild 6
Obwohl heute der Wein oft in Kunststofftanks gelagert wird, gibt es noch Küferwerkstätten. Besonders hübsch sind die Schmuckfässer.

Bild 7
Ein idyllisches Eckchen, das „Haus zum kleinen Erker" in Sobernheim.

Bild 8
Eines der bedeutendsten romanischen Bauwerke: der Wormser Dom.
Die ältesten Teile des heutigen Doms gehen auf das 12. und 13. Jh. zurück. Besonders sehenswert, der Hochaltar von Balthasar Neumann.

Zwei uralte Städtereihen säumen die beiden ebenso alten nord-südlichen Verkehrsleitlinien, die Deutsche Weinstraße am Haardtrand und das von Natur aus hochwassersichere Hochgestade entlang des Rheins. Beide Verkehrswege waren schon zur Römerzeit vielbenutzt, als hier Städte wie Worms und Speyer gegründet wurden, die sich im Mittelalter zu blühenden Zentren des Heiligen Römischen Reichs Deutscher Nation entwickelten. Die beiden berühmten romanischen Dome sind eindrucksvolle Zeugen aus dieser Zeit.

Franz von Sickingen und die Not der Armen

Die gesunde landwirtschaftliche Basis und die verkehrsgünstige Lage der im Rheintal gelegenen Vorderpfalz verhalf der gesamten Pfalz zu einer Jahrhunderte währenden politisch-territorialen Machtentfaltung. Doch die Menschen in den Bergländern der Pfalz wurden in früheren Jahrhunderten vom oberrheinischen Weinbau und vom blühenden Handel nicht reich.

Der niedere Adel hatte jedoch einen Fürsprecher: Franz von Sickingen. Er wurde von dem Pforzheimer Humanisten Reuchlin erzogen. Seit 1517 kämpfte er als Feldhauptmann zuerst für Maximilian I. dann für Karl V. Auf seiner Ebernburg bot er Humanisten und Anhängern der

Bild 9
Die Winzer bieten ihren Wein oft in ihren Innenhofschänken an.

Bild 10
Die Schubkärchler fahren ihre Weinfässer nach Bad Dürkheim und eröffnen damit den Wurstmarkt.

9

Reformation wie Ulrich von Hutten und Melanchton Zuflucht. Nach einem Angriff auf den Kurfürsten von Trier wurde Franz von Sickingen bei der Belagerung seiner Burg Landstuhl 1523 tödlich verwundet. Wie Götz von Berlichingen, ein anderer Raubritter jener Zeit, lebt auch Sickingen in der Überlieferung als edler Anwalt der Armen weiter, der er nicht war.

200 Jahre später waren es die Notleidenden selbst, die sich aus ihrer mißlichen Lebenslage befreiten. Die Pfalz hatte ihre einstige Machtposition längst verloren und war zum Zankapfel zwischen dem Reich und Frankreich geworden. Ein Landgraf hatte das Dorf Pirmasens zum Amtssitz einer kleinen Grafschaft mit einer viel zu großen Garnison gemacht. Dieser Zustand hielt nicht lange an, die Grenadiere wurden abgezogen. Zurück blieben ihre Frauen und Kinder. Die Not machte sie erfinderisch. Sie verarbeiteten die Abfälle einer Tuchfabrik zu leichten „Schlappen". Schon bald boten Hausierer die Schuhe in den Dörfern der Pfalz zum Kauf an. Der Handel entwickelte sich schwunghaft, und der Grundstein der heutigen Pirmasenser Schuhindustrie war gelegt.

10

1

Steinkohle und Stahl gleich Saargebiet

Auf diese vereinfachte Formel läßt sich die kulturräumliche Entwicklung des Saarlands bringen. Einen Kernraum des Saarlands bildet der sogenannte Saarbrükker Kohlensattel, eine etwa 50 Kilometer lange und 10–20 Kilometer breite Aufwölbung innerhalb der Saar-Nahe-Mulde, die sich von Südwesten nach Nordosten erstreckt und in etwa der Linie Saarbrücken – Neunkirchen folgt. Hier lagern insgesamt 95 Steinkohlebänke übereinander, von denen etwa 45 Meter abbauwürdig sind.

Einen zweiten Kernraum des Saarlands bildet das genau senkrecht zum Kohlensattel verlaufende Saartal zwischen Saarbrücken und Merzig. Hier entwickelte sich vor rund 100 Jahren der Schwerpunkt der saarländischen Eisen- und Stahlindustrie, und am Kreuzungspunkt zwischen Saartal und Kohlensattel kristallisierte sich Saar-

3

2

Bild 1
Völklingen ist eines der industriellen Zentren des Saargebiets.
Bild 2
Burg Berwartstein, eine Ritterburg wie aus dem Bilderbuch. Hier lebte der Widersacher der Weißenburger Äbte.
Bild 3
v. Sickingens Grab in Landstuhl.

brücken als die Hauptstadt des Saarlandes, heraus. Hochkonjunktur herrschte an der Saar in den fünfziger Jahren. In den vier großen Saartäler Hütten Brebach, Burbach, Völklingen und Dillingen sowie in der Neunkirchener Eisenhütte am Nordostrand des Kohlenfeldes und in St. Ingbert waren insgesamt 30 Hochöfen in Betrieb.

Von Goethe bis zur Stahlkrise

Als Goethe im Jahr 1770, während seiner Straßburger Studentenzeit, an die Saar reiste, hat er sich „in das Interesse der Berggegenden" einweihen lassen und erste „Lust zu ökonomischen und technischen Betrachtungen" empfunden. Deshalb zitiert man den Dichter heute noch gerne an der Saar, denn damals begann

der Aufschwung zum blühenden Schwerindustrierevier. Bis 1750 wurde Steinkohle nur privat und zur Deckung des eigenen Brennstoffbedarfs mit primitiven Methoden abgebaut. Die seit dem 16. Jahrhundert betriebenen ersten Eisenhütten und Hammerwerke arbeiteten noch auf der Grundlage von Holzkohle und Wasserkraft. 1751 erklärte Fürst Wilhelm Heinrich den Stein-

Bild 4
Die Salinen in Bad Kreuznachs Kuranlagen.
Bild 5
Der barocke Ludwigsplatz in der saarländischen Hauptstadt Saarbrücken.

5

4

6

Bild 6
Homo ceramicus mettlachiensis im Park der ehemaligen Mettlacher Abtei.

kohleabbau zum Staatsmonopol. Und als Goethe rund 20 Jahre später an der Saar weilte, wurde die Steinkohle bereits mit Hilfe neuartiger Tiefbaumethoden gefördert und zur Verhüttung der lokalen Eisensteinvorkommen verwendet.

Der eigentliche Durchbruch zum modernen Revier gelang aber erst rund 120 Jahre später, als das Thomasverfahren erfunden war. Die geniale Leistung des englischen Metallurgen S. G. Thomas ermöglichte nämlich die Verhüttung phosphorreicher Eisenerze, und gerade die gab es in nächster Nachbarschaft des Saargebiets in Hülle und Fülle: in Lothringen nämlich. Bis 1914 hatte sich bereits ein enger Schwerindustrieverbund zwischen dem Saarland und seinen Minetteerzelie-

7

nen war das billigere Erdöl als Konkurrent auf den Brennstoffmarkt gekommen, zum anderen war die deutsche Kohle durch ungünstige Lagerungsverhältnisse und teure Förderung international nicht mehr konkurrenzfähig. Die Fördermengen sanken an der Saar von 17 Millionen Tonnen auf zehn Millionen Tonnen, die nur noch aus sechs Gruben ans Tageslicht gebracht werden.

Bild 7
Der Bostalsee bei Nohfelden ist ein beliebtes Naherholungsziel der Saarländer. Nicht nur Wassersportler kommen da auf ihre Kosten, sondern auch Wanderer.

9

feranten Frankreich und Luxemburg gebildet, der ohne Behinderungen durch Zollschranken wie eine vorweggenommene „kleine Montanunion" funktionierte. Dieser grenzüberschreitende Wirtschaftsraum geriet durch die beiden Weltkriege und die damit verbundene zweimalige Zugehörigkeit des Saarlands zu Frankreich zwar gründlich aus dem Tritt, aber spätestens seit 1957, als das Saargebiet mit rund 1 Million Einwohnern zehntes und jüngstes deutsches Bundesland wurde, war wieder alles beim alten. Doch schon wenig später zeichneten sich düstere Wolken am wirtschaftlichen Horizont ab: der Beginn der Steinkohlenkrise. Die Kohleförderung nahm aufgrund veränderter Wirtschaftsverhältnisse rapide ab. Zum ei-

8

11

12

Bild 8
Schwierig und anstrengend ist die Arbeit in den steilen Weinbergen.

10

Durch die Stahlkrise hat sich die Marktlage der Kohle weiter verschlechtert. Seit 1981/1982 hat sich die Stahlproduktion drastisch verringert. Die weltweite Wirtschaftsrezession, verbunden mit verstärkter Billigstahlkonkurrenz aus zahlreichen anderen Ländern, hat zu einem Rückgang von mehr als 20 % geführt, so daß ein großer Teil der Belegschaftsmitglieder entlassen werden mußte.

Das zweite Bein

Doch nicht nur Kohle und Stahl haben Arbeitsplätze geschaffen, auch die Steingutfabriken des Saarlandes bieten vielen Menschen Arbeit. Auch die traditionelle Glasbläserei wird fortgeführt. Im einstigen Jagdgebiet der Grafen von Saarbrücken fanden im 17. Jahrhundert aus Frankreich vertriebene Hugenotten Zuflucht. Sie brachten die Glasbläserei mit. Im Wald fanden sie die notwendigen Rohstoffe: Quarzsand, Holz und Farn. Eines der Glasbläserdörfer war übrigens Karlsbrunn. Von dort wanderte im 18. Jahrhundert ein gewisser J. N. Eisenhauer nach Amerika aus. Einer seiner Nachfahren wurde Präsident der Vereinigten Staaten!

Bild 9 und 10
Pirmasens entwickelte sich zum Zentrum der deutschen Schuhindustrie. Im dortigen Schuhmuseum sind interessante Stücke ausgestellt, so der abgebildete Schnabelschuh. In der Museums-Schusterwerkstatt wird noch gearbeitet.

Bild 11
In Schweigen steht das Weintor, es ist nur ein paar hundert Meter von der französischen Grenze entfernt. Hier beginnt oder endet die Deutsche Weinstraße. Im Innern ist eine Gaststätte, in der Schweigener Tropfen probiert werden können.

Bild 12
Die Pfalz ist nicht nur das größte deutsche Weinbaugebiet, sondern auch eines der traditionsreichsten. Davon künden die Ausstellungsstücke im Weinmuseum Speyer, wie dieses römische Weingefäß.

SCHATZKAMMER DES BAROCK – DIE FRANKEN AM MAIN

Endlos scheinende Weinberge ziehen sich entlang der Mainschleife bei Volkach. Direkt am Fluß liegt das alte Städtchen mit gut erhaltenen Bürgerhäusern aus dem 16. bis 18. Jahrhundert. Die größte Sehenswürdigkeit ist jedoch die Wallfahrtskirche St. Maria im Weingarten, die hoch über Stadt und Fluß steht.

Mainschleife bei Volkach

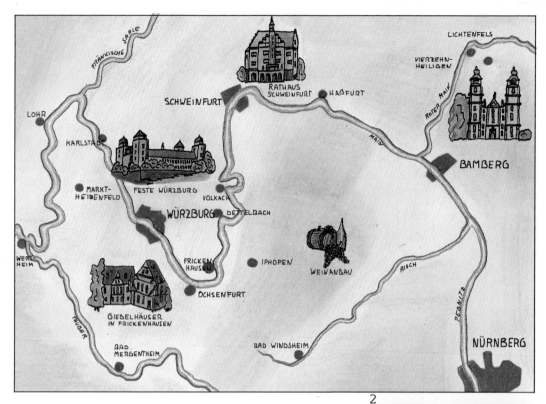

Map labels: FRÄNKISCHE SAALE · LOHR · KARLSTADT · SCHWEINFURT · RATHAUS SCHWEINFURT · HASSFURT · LICHTENFELS · VIERZEHN-HEILIGEN · ROTER MAIN · MARKT-HEIDENFELD · FESTE WÜRZBURG · VOLKACH · BAMBERG · WÜRZBURG · DETTELBACH · MAIN · WERT-HEIM · FRICKEN-HAUSEN · IPHOFEN · WEINANBAU · AISCH · OCHSENFURT · GIEBELHÄUSER IN FRICKENHAUSEN · TAUBER · PEGNITZ · NÜRNBERG · BAD MERGENTHEIM · BAD WINDSHEIM

Mainfranken: Wo früher der Wein aus dem Brunnen floß...

Nicht täglich natürlich, sondern wenn ein Bischof gewählt war oder ein Kaiser in der Stadt weilte, strömte Wein aus dem Brunnen vor dem Würzburger Rathaus, und jedermann konnte sich daran laben. Großzügig schenkt die klimabegünstigte mainfränkische Landschaft ihren Bewohnern immer noch höchst edle Tropfen, die, wie Kenner behaupten, das Aroma von Pfirsich, Heckenrose und Schlehe besitzen. Und an dem berühmten „Würzburger Stein", der an den Hängen des Steinbergs oberhalb der Eisenbahnlinie wächst,

schätzt man das Rauchige, das angeblich vom Dampf der Lokomotiven herrührt. Obwohl doch gar keine Dampflokomotiven mehr fahren, ist es auch heute noch typisch für diesen Wein. Ob es richtig ist, mit dem Wein zu beginnen? Doch er ist eine Note des Akkords, der in Mainfranken schwingt: Landschaft, Wein und Kunst. Zahlreiche Kunstwerke höchsten Ranges findet man in dieser Landschaft, deren Böden eigentlich karg sind und den Bauern das Leben schwermachen. Sie sind entweder zu weich und glitschig, nur gut für Wiesengründe, oder steinhart und wasserundurchlässig. Hier befinden wir uns nämlich im Keupergebiet des Süddeutschen Schichtstufenlandes, entstanden im Mittelalter der Erdgeschichte. Etwa 30 verschiedene Schichten bauen den Keuper auf. Zuoberst liegt der Sandstein, der – wie beispielsweise Letten-, Schilf- und Blasenkeuper – früher als Baustein geschätzt wurde. Tone und Mergel, ebenfalls Keupergesteine, dienen heute noch als Rohstoffe für Ziegeleien, und die Gipslager zwischen Iphofen und Sulzfeld sind noch immer nicht erschöpft. So einfach und übersichtlich der geologische Aufbau ist, so vielgestaltig ist das Erscheinungsbild der Landschaft. Es wird vor allem vom Main beherrscht, der sich,

von der „Goldenen Pforte Frankes" zwischen Banzbergen und Staffelbergen kommend, eine breite Mulde geschaffen hat und, mehrmals seine Laufrichtung ändernd, in weiten Bögen das Land durchfließt, es sich erobert hat und es beherrscht. Die Berge treten nur selten dicht an die Ufer, zumeist bilden sie sanft ansteigende Kuppen hinter breiten Talauen. Die Hänge sind mit Rebstöcken überzogen – zum Weinbau ist dieser Boden gerade gut genug. Man kann es aber auch anders ausdrücken: Für den Weinbau eignet sich dieser Boden – im Zusammenspiel mit den klimatischen Bedingungen – hervorragend. Oberhalb der Weinberge steht häufig Wald. Er hat die Funktion einer „Pelzkappe" übernommen und hält die hangabwärts gleitende Kaltluft von den Reben fern.

Bild 1
Ochsenfurt ist ein malerisches Fachwerkstädtchen am Main. In der Hauptstraße stehen viele schmale Häuschen.
Bild 2
Prunkstück der Afrakirche in Maidbronn ist die Beweinung Christi. Es ist 1525 entstanden, eines der letzten Werke Tilman Riemenschneiders.
Bild 3
Homburg am Main.

5   4

7

6

Der Main als Lebensader

An seinen Ufern, vor allem seinen Knotenpunkten mit anderen Flüssen, entstanden zumeist aus Fischersiedlungen kleine und große Städte. Mit ihren engen Gassen, verschwiegenen Winkeln, Resten mittelalterlicher Türme, Tore und Mauern haftet ihnen immer noch etwas liebenswert Altfränkisches an: Veitshöchheim, das durch seine Rokoko-Gartenarchitektur geadelt wurde, Randersacker, Eibelstadt, Winterhausen, Sommerhausen, Ochsenfurt, Markbreit und so fort; vor allem aber Sulzfeld, das mit seinem völlig erhaltenen Mauerring und den windschiefen Häusern noch ganz der Vergangenheit anzugehören scheint. Auch für Würzburg, die Kapitale, gilt dies noch, wenn auch mit Einschränkungen. Hier wirkte um 680 der irische Missionar und Märtyrer Kilian, der später als Heiliger Kilian Patron des Bistums Würzburg wurde. 686 ermordete man ihn zusammen mit seinen Gefährten. Ihre Gräber befinden sich im Neumünster.

Die Kunst in Mainfranken

Die Bischöfe, tatkräftige und kunstverständige Herren wie der Fürstbischof Julius Echter von Mespelbrunn, Gründer der Universität (1582) und des Juliusspitals (1576) „für Arme, Bresthafte und Kranke", und das Adelsgeschlecht der Schönborns haben mit den großzügigen Bauten, die sie in Auftrag gaben, Anteil an der Kunstgeschichte: Feste Marienberg, zahlreiche Kirchen, sowie die auch in Details künstlerisch vollendete Würzburger Residenz. Zwei der berühmtesten Künstler hatten in Würzburg und Umgebung die Gelegenheit, ihr Talent zu entfalten. Tilman Riemenschneider, Sohn eines Kupferschmieds und Münzmeisters, machte sich nach langer Lehr- und Gesellenzeit als Bildschnitzer 1483 in Würzburg seßhaft. Früher Ruhm und jähes

Bild 4
Sommerhausen am Main.
Bild 5
Mitten in Würzburg, die Marienkapelle.
Bild 6
Balthasar Neumanns Treppenhaus mit den Deckenfresken von Tiepolo in der Würzburger Residenz.
Bild 7
Erntedankumzug in Mainfranken.
Bild 8
Die Trinkhalle in Bad Kissingen stammt aus der Jahrhundertwende.

8

Vergessen sind die Kontraste seines Lebens. 1525 wurde er gefangengenommen, weil er die aufständischen Bauern unterstützte. Neun Wochen saß er im Verließ des Randersackerer Turms auf der Feste Marienberg, wo er auch gefoltert wurde. Jahrelang erinnerte man sich kaum noch an ihn, bis sein Grabstein, vom Sohn Jörg gemeißelt, zufällig wiederentdeckt wurde. Riemenschneiders Werken nachzuspüren heißt, durch Mainfranken reisen: von Würzburg nach Rimpar, Maidbronn, Volkach…

Balthasar Neumann ist der zweite Meister. Er kam rund 220 Jahre nach Riemenschneider zur Welt, zog von Eger nach Würzburg, war dort in Artilleriediensten und wurde 1719 fürstbischöflicher Baudirektor. Dieser Weltmann hinterließ seine künstlerischen Spuren an vielen Orten. In Mainfranken schuf er großartige Werke: Hofkirche und Kaisersaal der Würzburger Residenz sowie deren berühmtes Treppenhaus mit den Deckenfresken von Tiepolo. Außerdem die Wallfahrtskirche Vierzehnheiligen bei Staffelstein am Main, die mit dem gegenüberliegenden Kloster Banz von J. L. Dientzenhofer ein wirkungsvolles Pendant erhielt. Das sogenannte „Käppele" in Würzburg wurde 1747–50 nach Neumanns Plänen erstellt.

In Würzburg haben Stukkateure und Vergolder – Berufe, die es anderswo schon gar nicht mehr gibt – heute noch viel zu tun: Sie bilden mit unglaublichem Feingefühl und perfektem technischen Können Zerstörtes nach.

KONTRASTE AUF ENGEM RAUM – WO WÜRTTEMBERG BEGINNT

Fürstliche Prachtentfaltung und große Jagdleidenschaft präsentiert der Rittersaal des Schlosses Weikersheim. Die Kassettendecke zeigt in jedem Feld eine andere Jagdszene. Tiere aus Stuck zieren die Wände.

Schloß Weikersheim

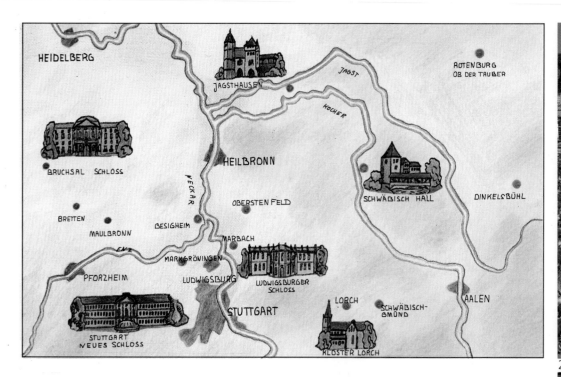

Durch die Gäuland-schaften und den Schwäbischen Wald

Als Gott die Welt erschuf, soll er das Schwabenland zuerst geschaffen haben. Man sagt, daß er dabei Erfahrungen sammelte im Formen verschiedener Landschaften: Gebirge, Ebenen, Seen, Täler, Flüsse, Hügel. Kaum sonstwo in Deutschland sind landschaftliche Gegensätze so stark wie im Südwesten. Die Bewohner des Landes sind stolz darauf.

Mild und weniger mild, mehr und weniger Löß

Starke Gegensätze der Landschaften prägen das Gebiet zwischen Rhein und Tauber. Im Westen liegt der Kraichgau, eine Senke zwischen dem Odenwald und dem Schwarzwald. Der Kraichgau und die sich im Osten anschließenden Gäulandschaften sind, dank einer dicken Lößdecke außerordentlich fruchtbar. Der größere Teil der Gäulandschaften gehört zu Württemberg, der Kraichgau und das Bauland zu Baden. Das Taubertal und seine Umgebung gehörten heute zwar zu Baden, vom Volkstum her zählen sie aber zu Franken. Besonders guten Lößboden und besonders hohe Temperaturen gibt es im Kraichgau, der Deutschlands wichtigstes Tabakanbaugebiet ist. Auch der Kör-

1

nermais reift hier. Die schwäbischen Gäulandschaften sind sanfte Hügelländer: Strohgäu, Heckengäu, Langes Feld und Zabergäu. Fruchtbarste Böden gibt es auch hier. Das Lange Feld gilt als die Kornkammer Württembergs. Im Bauland ist das Klima etwas kühler, ebenso wie in Hohenlohe. Dort gibt es nicht so viel Löß wie in den Gäulandschaften. Auch als Laie kann man das feststellen, denn die Äcker sind sehr steinig. Von Zeit zu Zeit werden die Steine aufgesammelt und an den Feldrändern geschichtet.

Muschelkalkfelsen an den Flüssen

Die Ebenen und Hügelländer werden vom Neckar und seinen Nebenflüssen zerteilt. Hier, in den Tälern, tritt das Gestein, das unter dem Ackerland verborgen liegt, zutage: der Muschelkalk. Seine

Bild 1
Die Hessigheimer Felsengärten im Neckartal bei Besigheim.
Bild 2
„Blühendes Barock" in Ludwigsburg.
Bild 3
Auch das Bruchsaler Schloß ist ein Barockbau.
Bild 4
Die Brunnenkapelle im Kloster Maulbronn. Seit 1557 werden hier evangelische Schüler auf das Theologiestudium vorbereitet. Zu den berühmtesten Zöglingen gehörten Friedrich Hölderlin und Hermann Hesse.

schroffen Felsen begleiten Neckar, Enz, Glems, Rems, Murr, Kocher, Jagst und alle die kleineren Bäche. Auch an der Tauber gibt es Muschelkalkfelsen. Der Muschelkalk macht seinem Namen alle Ehre – er ist durch und durch aus Muschelschalen aufgebaut, die vor undenklichen Zeiten am Grunde eines Meeres abgelagert wurden. Mit etwas Glück findet man auch die Versteinerungen anderer Meeresbewohner aus dem Muschelkalkmeer, Ammoniten oder sogar Seelilien. Muschelkalkfelsen speichern, von der Sonne beschienen, die Wärme besonders gut. Man baut daher auf den Felsen Wein an, etwa den berühmten Trollinger, den schwäbischen Rotwein, oder den Frankenwein, der nach uraltem Privileg in Bocksbeutel, das sind besondere bauchige Flaschen, abgefüllt werden darf.

4

5

6

3

Das andere Schwaben: Berge und Wälder

In scharfem Kontrast zu den Gäulandschaften stehen die waldreichen Keuperberge. Das größte zusammenhängende Keuperbergland ist der aus mehreren Hügelbereichen aufgebaute Schwäbische Wald, kleinere Keuperhöhen sind inselförmig ins Gäuland eingestreut: Stromberg und Heuchelberg sowie der Hohenasperg bei Ludwigsburg, von dem behauptet wird, er sei der höchste Berg Württembergs. Weil auf seinem Gipfel ein Gefängnis ist, kommt man zwar schnell hinauf, für den „Rück-

weg" aber braucht manch einer Jahre....

Unter dem Oberbegriff „Keuper" werden verschiedene Gesteine zusammengefaßt: Kalksteine, die in Meeren gebildet wurden, Sandsteine als Zeugen ehemaliger Wüsten, auch Kohleschichten, die aus dem Holz tropischer Urwälder entstanden. Die oberste Keuperschicht ist ein harter und unfruchtbarer Sandstein. Die Schwaben fanden früher für ihn trotzdem Verwendung. Sie mahlten ihn zu Sand, streuten ihn in die Zimmer und scheuerten dann die Fußböden. Deshalb heißt der Stein Stubensandstein, so erzählt man wenigstens. Allerdings könnte er diesen Namen auch wegen der zahlreichen kleinen Höhlen erhalten haben, die man vor allem im Welzheimer Wald sehen kann.

Die Höhenzüge des Schwäbischen Waldes werden von Bächen zerfurcht, die – für diese Landschaft typisch – oft am Grunde tiefer „Klingen" fließen. Die Flüsse haben breitere Täler ausgeräumt, und diese bilden die Grenzen zwischen den einzelnen „Wäldern", deren Namen populärer sind als der Sammelbegriff „Schwäbischer Wald". Zwischen Neckar, Fils und Rems liegt der Schurwald. Nördlich des Remstales erhebt sich der Welzheimer Wald mit seinen westlichen „Vorgebirgen" Buocher Höhe und Berglen. Zwischen Rems und Kocher ziehen sich die Frickenhofer Höhe und die Limpur-

Bild 5
Das größte Volksfest im Kraichgau ist das Brettener Peter-und-Paul-Fest, zur Erinnerung an die gut überstandene Belagerung der Stadt vor fast 500 Jahren.
Bild 6
Die fruchtbare Kraichgaulandschaft.
Bild 7
Im Sinsheimer Technik- und Automuseum sind Oldtimer aller Gattungen ausgestellt.
Bild 8
Spargelkiste auf dem Bruchsaler Spargelgroßmarkt, einem der größten in ganz Europa.

7

8

ger Berge entlang, zwischen den Oberläufen von Kocher und Jagst die Ellwanger Berge. An der Murr liegt der Murrhardter Wald, nördlich davon die Löwensteiner Berge, der Mainhardter Wald und die Waldenburger Berge.

Vom Urmenschen zum Keltenfürsten

Die starken Unterschiede der Bodenfruchtbarkeit zwischen Lößebenen, Gäulandschaften und Keuperbergländern prägten die Siedlungsgeschichte dieser Räume. Die Lößebenen, vor allem die klimatisch begünstigteren im Kraichgau, sind seit Urzeiten Lebensraum des Menschen. Die Waldgebiete wurden dagegen erst in den letzten Jahrhunderten besiedelt. Im Lößland liegen Steinheim und Mauer, Orte bekannter Urmenschenfunde. Seit sechs oder gar sieben Jahrtausenden wird in den Gäulandschaften Ackerbau betrieben. Hier muß auch eine der ältesten mitteleuropäischen Zivilisationen entstanden sein. In der Mitte des ersten vorchristlichen Jahrtausends siedelten hier die Kelten. Ihr Fürstensitz war der Hohenasperg, von wo aus sie das ganze fruchtbare Land überblicken konnten, bis hin zu seinen Waldgebirgsgrenzen. Die Kelten brachten es zu größerem Wohlstand. Sie konnten ihren Fürsten sogar Goldschätze mit ins Grab geben.

Die Römer als Kolonialherren

Nach den Kelten beherrschten die Römer das Land zwischen Schwarzwald und Schwäbischer Alb. Im Lößgebiet errichteten sie große Gutshöfe, die der Fachmann „Villae rusticae" nennt. Zum Städtebau und zum Heizen in dem ihnen ungewohnten nördlichen Klima brauchten sie Holz. Das gab es im Schwäbischen Wald in ausreichenden Mengen. Ohne Verständnis für seine Besonderheiten zogen die Römer eine schnurgerade Grenze durch das Land. Diese Grenze, der „Limes", ist heute noch an vielen Stellen als Wall zu erkennen. Er wurde zur Römerzeit durch Kastelle, Wachttürme und Mauern gesichert und befestigt. Vieles ist hier ausgegraben worden, etwa die Kastelle von Rainau-Buch, Aalen, Welzheim und Osterburken. Manche Bauten wurden rekonstruiert, die Funde in den Museen ausgestellt. Am interessantesten dürfte das Limesmuseum in Aalen sein.

Neckarschwaben im Mittelalter

Nach dem Abzug der Römer überwucherte im Schwäbischen Wald der Urwald alle ihre Bauten. Nicht so im Gäu: Hier siedelten die Alamannen und die Franken. Wald war rar, „Gau" hieß bei den Alamannen ein waldfreies oder waldarmes Land. Erst im Mittelalter trieb es wieder Menschen in den Schwäbischen Wald: die einen aus Abenteuerlust (es gab „wildes" Land zu besiedeln), die anderen aus Not. Sie suchten nach neuem Siedelland, weil ihre alte Heimat nicht mehr genügend Menschen ernährte.

Eine dritte Gruppe bildeten die Mönche. Sie waren auf der Suche nach Einsamkeit, die sie in den Waldgebieten fanden. Von ihnen wurden die Klöster Adelberg und Gnadental gegründet.

Schwäbisch-fränkische Kunst: ein Begriff

Neckarland und Hohenlohe sind außerordentlich reich an Bau- und Kunstdenkmälern. Berühmte romanische Kirchen und Klöster stehen in Maulbronn, Oberstenfeld, Lorch, Comburg und in so manchem halbvergessenen hohenloheschen Dorf, etwa in Unterregenbach. Württemberg und Franken waren auch Kernland gotischer Baukunst. Die Stuttgarter Stiftskirche, die Heilbronner Kilianskirche und viele Burgen sind nur einige Beispiele dafür. Es gibt hier ganze gotische Stadtbilder mit bunten Fassaden und Fachwerkgiebeln, etwa in Rothenburg, Dinkelsbühl, Feuchtwangen, Bad Wimpfen, Markgröningen, Schorndorf und Eßlingen. Auch die gotische Malerei war bedeutend und ist in Museen zu betrachten, etwa in der Staatsgalerie oder im Württembergischen Landesmuseum in Stuttgart. Kunstfreunde „wallfahren" auch zur Grünewald-Madonna im kleinen Dorf Stuppach bei Bad Mergentheim. Krönungen abendländischer Kunst sind die Bildschnitzereien, man denke nur an die Altäre Tilman Riemenschneiders im Taubertal (Rothenburg, Detwang, Creglingen).

Bild 1
Der Untergrund der schwäbischen Gäulandschaften besteht aus Muschelkalk. Regenwasser wusch hier in Jahrtausenden Höhlen wie die Eberstädter Höhle aus.
Bild 3
Unter dem Pfarrhaus von Unterregenbach liegt diese romanische Krypta.

Zur Zeit der Renaissance wurden aus wehrhaften Burgen lieblichere Schlösser, die man in Stuttgart, Neuenstein, Weikersheim und Langenburg besichtigen kann. In der Barockzeit hatten Schlösser nicht mehr wehrhaft zu sein. Sie sollten im Stile Ludwigs XIV. Glanz und Gloria ihrer Regenten widerspiegeln, so auch in Bruchsal, Ludwigsburg und in Stuttgart (Neues Schloß).

Bild 2
Blick auf das romantische alte Städtchen Kirchberg an der Jagst. Noch heute umschließt eine Wehrmauer mit Türmen die Stadt und das Renaissanceschloß. In der Nähe der Stadt, auf einem Bergrücken, liegt Burg Hornberg.
Bild 4
Das barocke Residenzschloß von Weikersheim im Taubertal liegt in einer schönen Gartenanlage.

2

3

1

4

7

5

8

6

Bild 6
Diese reizvolle Holzbrücke über die
Jagst gehört zu den ganz wenigen
gedeckten Brücken, die es in
Deutschland noch gibt.

Bild 9
Noch heute, mehr als 350 Jahre
nach diesem Ereignis, feiern die
Dinkelsbühler die Kinderzeche.

9

Bild 5
Daß Rothenburg ob der Tauber
im Mittelalter eine der wohl-
habendsten und mächtigsten
deutschen Städte war, bestätigt auf
sehr eindrucksvolle Weise das statt-
liche gotische Rathaus.
Bild 7
Schwäbisch Hall an der Kocher,
mit „Grasbödele" und Büchsenhaus.
Bild 8
Daß Dinkelsbühl fast vollständig
erhalten blieb, verdankt es der Sage
nach der Kinderlore. Während der
Belagerung der Stadt durch die
Schweden, zog die Lore mit allen
Kindern zum Obristen Sperreuth
und bat um Gnade. Dieser
gedachte seines eigenen
verlorenen Kindes und zog ab.

Der schwäbische Dichterkreis

Jahrhundertelang waren die
schwäbischen Pfarrersfamilien
Horte von Tradition und Kultur.
So ist es leicht zu verstehen, daß
viele der schwäbischen Dichter
aus diesen Familien stammen.
Zwischen 1810 und 1830 fand
sich eine Gruppe dieser Schriftsteller zusammen, eben der
„schwäbische Dichterkreis". Unter anderem gehörten Uhland,
Kerner, Schwab, Hauff und
Mörike dazu.

Realteilung: Glanz und Elend der Duodezfürsten

Die wohl berühmteste literari-
sche Figur des schwäbisch-frän-
kischen Gäulandes ist Goethes
Götz von Berlichingen. Er ist geradezu ein Repräsentant des
Kleinfürsten im deutschen Süd-

westen. Durch Erbteilung waren
die Besitztümer immer kleiner
geworden, weil sie auf alle Kinder – oder auch nur Söhne –
gerecht aufgeteilt wurden. Zu
Beginn der Neuzeit gab es
schließlich Duodezfürsten, die
nur ein einziges Dorf beherrschten, in dem sich die Bauern von
ihrem zu kleinen Landbesitz
nicht einmal mehr ernähren
konnten. Daher war Württemberg, obwohl sehr fruchtbar, im
18. und 19. Jahrhundert ein ar-
mes Land. Viele Einwohner
wanderten aus, donau-abwärts
oder nach Amerika.

Schwaben im Industriezeitalter

Viele waren auf einen Nebenerwerb angewiesen und brachten
es schließlich durch beispielhaf-
ten Handwerksfleiß zu etwas.
Aus den kleinen Handwerks-
betrieben entwickelten sich teilweise Konzerne von Weltrang
(Bosch, Daimler-Benz) und außerdem die mittelständische Industrie, der Baden-Württemberg
seinen Ruf als Wirtschaftswun-
derland par excellence verdankt.
Aber hier ist nicht nur Platz für Industrie: Im Schurwald rauchen
noch die Kohlenmeiler, im Bauland wächst noch der Dinkel, aus
dem man Grünkern macht und
ein kräftiges Brot bäckt, und die
Hohenlohe ist noch genau so,
wie sie Agnes Günther 1913 in
ihrem Roman „Die Heilige und
ihr Narr" beschrieben hat.

NÜRNBERG, DIE KUNST-METRO-POLE DES FRANKEN-LANDES

Tiefeingeschnittene, aber fast wasserlose Täler, flankiert von Riffkalkfelsen, die weiß in der Sonne leuchten. Das ist die Fränkische Schweiz.

Fränkische Schweiz.

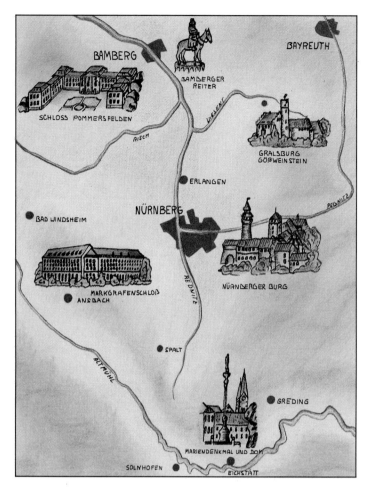

Nürnberg und die Fränkische Alb

Nicht eine einzige Stadt, sondern eine ganze Welt habe er gesehen, schrieb 1506 ein fahrender Schüler in sein Wanderbüchlein, und er meinte damit Nürnberg. Als Mittelpunkt Europas hatte Regiomontanus einige Jahrzehnte zuvor den fest von Mauern umschlossenen Ort an der Pegnitz bezeichnet. Dieser Mann, der eigentlich Johann Müller hieß und aus Königsberg stammte, war Mathematiker und Astronom, einer, der mit nüchternen Zahlen umging und wahrlich nicht zu Übertreibungen neigte. Er meinte damit nicht nur Nürnbergs geographische Lage, damals tatsächlich im Herzen Europas, sondern ein kompliziertes Gebilde, das als Produkt hoher und höchster Leistung im Bereich von Wissenschaft und Kunst, von Erfindungsgeist und kaufmännischem Denken entstanden war.

Ausgangspunkt: eine Burg

Dabei waren für die im 11. Jahrhundert zu Füßen einer Burg angelegten Siedlung die Aussichten auf Wohlstand eher düster. Keine Weinberge, keine schiffbaren Flüsse, nur ein karger Boden – wie noch ein Chronist um 1200 feststellte. Was aber machte Nürnberg zu dem, was es war? Da ragt nördlich der Pegnitz aus der etwa 310 Meter hoch gelegenen Ebene ein Keuperfels auf, idealer Standort für eine Burg. Ihr Name – und damit auch der der Siedlung – war rasch gefunden: Nor, Nürn heißt nackter Fels, norenberc oder Nürnberg also die auf dem Felsberg errichtete Burg. Kaiser Heinrich III. hielt hier 1050 Hof. Von dieser ältesten Burganlage, die später in die Hände der „castellani", der Burggrafen, überging, steht heute nur noch der Fünfeckturm. Da er das älteste Bauwerk Nürnbergs ist, trägt er den Namen Altnürnberg. Westlich davon erbauten sich die Kaiser eine neue Burg, die im Laufe der Zeit manche Erweiterungen und Umbauten erfuhr. Bemerkenswert sind die beiden großen Säle – Rittersaal und Kaisersaal – im Palas und die doppelgeschossige Kapelle nach staufischer Art. Sie hatte eine dreifache liturgische Funktion: als reguläre Burgkapelle, Hofkapelle und kaiserliche Privatkapelle. Die Westempore der Oberkapelle diente als Kaiserloge und war vom Palas aus direkt zugänglich. Eine Mauer, der „heimliche Wächtersgang", bildete die Grenze zur Burggrafenburg. 1271 tagte auf der Burg der erste Reichstag, und 1356 legte Kaiser Karl IV. in der in Nürnberg beschlossenen „Goldenen Bulle" fest, daß jeder Kaiser seinen ersten Reichstag in Nürnberg abzuhalten habe. Insgesamt 32 Kaiser und Könige residierten hier, zahlreiche Königs-, Hof- und Gerichtstage haben hier stattgefunden.

3

2

Bild 1
Die alte Kaiser- und Bischofsstadt Bamberg besitzt viele Bauwerke von kunsthistorischem Wert. Der linke Rednitzarm trennt die Bischofs- von der Bürgerstadt.
Bild 3
Die Kutsche der Markgrafen von Brandenburg-Ansbach im Festzug der Ansbacher Heimatwoche.

4

5

Bild 2
Einen reizvollen Akzent in
Nürnberg setzt der Weinstadl aus
dem 15. Jahrhundert.
Bild 4
Das Mädchen trägt eine Altmühl-
taler Volkstracht.
Bild 5
Vor einer schroffen Felskulisse liegt
der kleine Ort Wolfsberg.
Bild 6
Kloster Weltenburg ist ein beliebtes
Ausflugsziel Frankens. Die Donau
durchbricht hier in einem wild-
romantischen Engtal die südliche
Fränkische Alb. Steile Felsen
flankieren zu beiden Seiten den
Flußlauf.
Das Kloster ist das kleinste
bayrische Barockkloster. Es wurde
1714–25 erbaut.

6

Inzwischen war unten die Stadt aus zwei Hälften zusammengewachsen – aus der Burgstadt auf dem nördlichen Pegnitzufer, deren Häuser sich um die Bürgerkirche St. Sebald und um die Hofkirche St. Egidien scharten, und der Bürgerstadt südlich der Pegnitz, die sich um die Bürgerkirche St. Lorenz und die Königskirche St. Jakob gruppierte. Ein sieben bis acht Meter hoher, dreifacher Mauerring mit an die 110 Türmen umgab den trapezförmigen Gesamtkomplex.

Die Kaufleute führten Regiment. Im Innern entfaltete sich das bürgerliche Stadtwesen zu höchster wirtschaftlicher und kultureller Blüte. Nürnberg zog Nutzen aus seiner geographischen Lage am Schnittpunkt der in alle Richtungen führenden Fernhandelsstraßen, nach Riga, Kiew, Istanbul, Venedig, Lyon, Brüssel, Antwerpen… „Nürnberger Tand geht in alle Land." Tand, das waren Hopfen und Pfeffer und hochwertige handwerkliche Erzeugnisse. Handel, Gewerbe und Handwerk machten Nürnberg reich. Der eigentliche Aufbau war das Werk einer Elite, die aus etwa 43 Familien bestand. Diese nüchtern rechnenden und weitblickenden Kaufleute, die sich nach römischem Vorbild stolz Patrizier nannten, besaßen zugleich durch ihre Abgeordneten die Macht im Rathaus. Das Regiment dieser Oberschicht, die sich mit ihren exklusiven Vorschriften stark von der Bürgerschaft abhob, war streng und gerecht, auch gegen ihresgleichen. Übeltäter wurden in den Schuldturm oder ins Lochgefängnis des Rat-

hauses gesteckt. Der des Verrats und der Unterschlagung überführte Ratsherr Nicolaus Muffel wurde kurzerhand enthauptet.

Das Gesicht der Stadt ist gotisch. Die vornehmen Patrizierhäuser sind außen meist schlicht, einzige Zier die mit Steinmetzarbeiten geschmückten Erker, auch im Dachgeschoß, und die Chörlein, die als Altarnische der Hauskapelle oder als Aussichtsplatz dienten. Größeren Schmuck zeigten sie in den Innenhöfen mit prachtvollen Balustergängen oder reichen Maßwerkgalerien und Treppenbrüstungen. Nach 1500 kamen zu den gotischen Staffelgiebeln die Volutengiebel der Renaissance hinzu.

Nichts zeigt deutlicher die Macht Nürnbergs als die Tatsache, daß die Kaufleute „Schmiergelder" an die Kurfürsten zahlten, damit sie den König ihrer Wahl wählten. Und am sogenannten Nassauer Haus kündet eine Tafel davon, daß hier einst der Kaiser für die Leihsumme von 15 000 Gulden seine Krone als Pfand zurückließ. Nürnberg war nicht nur eine Stadt, sondern ein kleiner Staat und eine ganze Welt.

Von Veit Stoß bis Albrecht Dürer

In diesem Klima des Wohlstands und des hoch entwickelten Handwerks gedieh auch in hohem Maße die Kunst. Reich und kunstvoll ist die Ausstattung vieler Kirchen. Stifter waren häufig die wohlhabenden Kaufherren, hervorragende Künstler die Ausführenden. Ein Tucher stiftete einen großen Flügelaltar, ein anderer Tucher den Englischen Gruß für St. Lorenz, ein Meisterwerk deutscher Schnitzkunst von Veit Stoß. Den Imhoffs ist das himmelstrebende Sakramentshäuschen in St. Lorenz zu danken, das, ein Wunderwerk der Steinmetzkunst, Adam Krafft schuf. Der Rotschmied Peter Vischer d. Ä. arbeitete zusammen mit seinen Söhnen zehn Jahre lang an dem kathedralartigen Gehäuse des Sebaldusgrabs. Die Großen der Stadt und des Reiches ließen sich von Michael Wolgemut und dessen großem Schüler Albrecht Dürer malen. Unermeßlich sind die Schätze in Nürnbergs Kirchen und Museen, und trotz der Verheerungen des letzten Krieges sind malerische alte Partien erhalten geblieben oder wiedererstanden.

Wenn von „Nürnberger Witz" gesprochen wird, so ist damit nicht etwa eine pointenreiche Redeweise gemeint – in dieser Weise witzig waren die Nürnberger eigentlich nie –, sondern praktischer Sinn, technischer Verstand und Erfindungsgeist, wie er den geduldigen Tüftler auszeichnet. Was wurde in Nürnberg nicht alles erfunden: Radschloß, Brechschraube, Visiermaßstab, Hinterladergewehr, Hobelbank, Schraubstock, das Ziehen von dünnen Drähten, Feuerspritze, Fingerhut, Klarinette (entwickelt aus der Schalmei), schließlich die Taschenuhr, die Peter Henlein reich und weltberühmt machte, und – kurz bevor Kolumbus Amerika entdeckte – der Erdglobus, „Erdapfel" genannt, der seinem Schöpfer keinen Reichtum brachte, nur posthumen Ruhm. In Nürnberg wurde die erste deutsche Eisenbahn gebaut, die 1835 zum ersten Mal die Strecke bis Fürth befuhr. Nahebei in Neumarkt entstand die erste Fahrradfabrik des europäischen Kontinents. Kaufmannsgeist, Unternehmertum und handwerkliches Geschick rettete Nürnberg bis ins 20. Jahrhundert hinüber. Die Region ist heute ein Zentrum der Elektroindustrie, des Maschinenbaus, der Spielwaren- und der Bleistiftindustrie. Nürnberg ist längst zusammengewachsen mit Fürth, und nur wenige Kilometer weiter liegt Erlangen, das sich seinen Charakter als planmäßig, durchgehend rechtwinklig angelegte, wohlgeordnete Hugenottenstadt mit schlichten Häusern und Kirchen bewahrt hat. Von fürstlich großzügigem Bauen künden nur das Schloß, der Schloßgarten mit der Orangerie und das Markgrafentheater.

Auf der Frankenalb

Dieser Drei-Städte-Raum ist das Herz Frankens im Vorland der Fränkischen Alb, die sich im Hintergrund in weitem Bogen von Lichtenfels am oberen Main 200 Kilometer weit südwärts bis zur Donau hinzieht. Etwa 40 Kilometer breit ist diese Hochfläche, die durch den mächtigen Meteorkrater des Nördlinger Rieses von der Schwäbischen Alb abgegrenzt wird. Diese Jurazone ist eine Fortsetzung des Französischen und Schweizer Juras und baut sich aus den Schichten von Lias, Dogger und Malm auf, das heißt aus Schwarzem, Braunem und Weißem Jura. Die meist tonigen Liasschichten im Albvorland liefern den Untergrund für weite Wiesengründe, die Sandsteine des Doggers bilden den Sockel der Albstufe und waren einst wegen ihrer Erze die Grundlage der Schwerindustrie in der Oberpfalz. Die Böden des waldarmen Hochlands sind karg, von jeher war es ein dünnbesiedeltes Bauernland mit nur wenigen größeren Orten. Der schönste und meistbesuchte Teil der Fränkischen Alb ist die Fränkische Schweiz im Städtedreieck Nürnberg – Bamberg – Bayreuth, berühmt wegen ihrer landschaftlichen Vielgestaltigkeit. Schon an den westlichen Eingangstoren ragen mächtige Dolomitfelsen auf und bilden Berginseln inmit-

ten einer weiträumigen, ebenen Heckenlandschaft. Je weiter man ins Innere vorstößt, um so zerklüfteter und bizarrer werden die Felsgruppen, die an schroffen Hängen oder als Krönung von Bergkuppen das Landschaftsbild prägen. Zwischen den Felsen haben sich wasserreiche Flüsse wie Wiesent, Ailsbach, Trubach und Püttlach ihren Weg gebahnt und reizvolle, steilwandige Täler entstehen lassen. Von den etwa 800 Höhlen im Jurakalk der Fränkischen Alb entfallen die meisten auf die Fränkische Schweiz, die das höhlenreichste Gebiet Deutschlands ist. Funde haben bewiesen, daß 60 dieser Höhlen von Menschen der Alt-,

Bild 1
Beliebt bei Kanusportlern:
das Tal des Flüßchens Wiesent.
Bild 2
Besonders ansprechend und
anheimelnd ist der Ort Pottenstein.

Bild 3
Der Hochaltar des Klosters
Weltenbrunn, geschaffen von
Egid Quirin Asam.
Sein Bruder Franz Asam
malte die Deckenfresken.
Bild 4
Eines der Meisterwerke
von Johann Dientzenhofer
ist Schloß Weißenstein
in Pommersfelden.
Bild 5
Idyllisches Altmühltal.

4

3

5

1

2

6

8

Mittel- und Jungsteinzeit bewohnt waren. In der schachtartigen Esperhöhle bei Leutzdorf (westlich von Gößweinstein) fand man Skelette, die auf einen Menschenopferkult hindeuteten. Burgen, auf hohen Felsen erbaut, Mühlen und zahlreiche anheimelnde Orte säumen die Täler der Flüsse und forellenreichen Bäche. Forcheim mit seinen schön gezeichneten Fachwerkbauten, allen voran das Rathaus, ist nicht nur ein gemütlicher, sondern auch ein geschichtsträchtiger Ort: im Mittelalter Kaiserpfalz, in der Kaiser Karl V., Tilly, Wallenstein und Kurfürst Maximilian von Bayern weilten, sowie Schauplatz wichtiger Reichsversammlungen.

„In Deutschland kann sich an Schönheit der Lage nur Prag mit

Bild 6
In Altdorf finden jährlich die Wallensteinfestspiele statt.
Bild 7
Hübsch, dieser bunte Kopfschmuck.

7

9

Bamberg messen", so lautet ein Zitat aus dem letzten Jahrhundert. Tatsächlich ähneln die mächtigen Trakte der Alten Hofhaltung und der Neuen Residenz dem Hradschin in Prag. Auch mit Rom wird Bamberg oft verglichen, dessen „Bischofsstadt" mit ihren Klöstern und Stiften sich über sieben Hügeln ausbreitet. Von hier, der „Hauptstadt des Erdkreises" aus, sollte nach dem Willen Kaiser Heinrichs II., der 1007 Bamberg zum Bistum erhob, aller Ruhm ausgehen. Die Krone der Stadt ist der viertürmige, überwiegend romanische Dom, reich ausgestattet mit steinernen Bildwerken, darunter das Grabmal des Domgründers Heinrich II. und seiner Gemahlin Kunigunde von Tilman Riemenschneider. Das mitten in der Regnitz errichtete Rathaus verbindet die Bischofsstadt mit der Bürgerstadt auf der Insel zwischen den zwei Armen des Flusses. In ihrer ganzen malerischen Pracht hat sich die alte Fischersiedlung Klein-Venedig erhalten. Alljährlich im August wird hier fünf Tage lang die berühmte Sandkerwa gefeiert, mit Wasserspielen und Feuerwerk auf der Regnitz. Bis ins Jahr 1531 reicht die Tradition

Bild 8
Der Schöne Brunnen ziert Nürnbergs Hauptmarkt.
Bild 9
Burg Prunn überragt das felsengesäumte Altmühltal weithin sichtbar.

dieses Festes zur Erinnerung an die Weihe der Elisabethkirche im Sand zurück.

Die Altmühl und der Donaudurchbruch

Den äußersten Süden der Fränkischen Alb durchfließt die Altmühl. Bei Treuchtlingen tritt sie in das Bergland ein. War sie bis dahin der „langsamste Fluß Bayerns", so gewinnt sie von nun an stetig an Geschwindigkeit. In zahlreichen großen und kleinen Windungen schlängelt sie sich vorwärts. Reizvoll ist der ständige Wechsel der Szenerie: bewaldete Hochflächen, grasbewachsene Hänge, hügelige Gebirgskuppen und Steilfelsen. In rund 100 Millionen Jahren hat sich der Fluß immer tiefer in den weißen Jurafels eingegraben. Auf den letzten 60 Kilometern, etwa von Dollnstein an, benutzt die Altmühl das Tal der Urdonau. Die breiten Auen beiderseits des Flusses zeigen, daß es eigentlich zu groß für ihn ist. Die Donau suchte sich einen anderen, zwar näheren, aber auch beschwerlicheren Weg. Bei Weltenburg stieß sie auf einen hohen, kilometerweiten Felssockel. In Millionen Jahren beständigen Schleifens und Lösens des Kalksteins entstand eine der großartigsten Landschaftspartien Deutschlands. Hier ragen 100 Meter hohe Felswände auf, und an manchen Stellen hängen sie in skurrilen Formen über dem Fluß. Der Donaudurchbruch erhält noch einen zusätzlichen Reiz durch das ganz in Ufernähe angelegte großartige barocke Benediktinerkloster, das angeblich auf eine Missionsstation des 7. Jahrhunderts zurückgeht. Auf dem Michelsberg, einem symbolträchtigen Ort hinter der Weltenburger Enge, ließ König Ludwig I. die von römischen Rundtempeln inspirierte „Befreiungshalle" errichten, als Geschenk an die Deutschen und als Mahnmal.

Jurakalke sind reich an Versteinerungen, berühmt vor allem die Plattenkalke bei Solnhofen. Hier wurden Versteinerungen urweltlicher Fossilien gefunden, neben anderen Pflanzen und Tieren der Jurazeit vor 150 Millionen Jahren auch die des Urvogels Archaeopteryx, von dem es nur vier Exemplare auf der ganzen Welt gibt.

Passau

Vom Fichtel-gebirge zum Baye-rischen Wald

Passau, die Stadt an drei Flüssen, liegt zu Füßen des Bayerischen Waldes, der im Hintergrund aufsteigt. Deutlich zu erkennen ist die auf einer Halbinsel gelegene Altstadt. Sie wird im Norden von der Donau umspült, im Süden von dem viel breiteren Inn, dessen Wasser Gletschertrübe aus dem Alpenraum mitführt.

4   3

Bayerisches Grenzland – vom Bergbau zum Porzellan

Bayerns Grenzgebiet zur benachbarten Tschechoslowakei wird von drei Mittelgebirgen gebildet: vom Fichtelgebirge im Norden, vom südlich anschließenden Oberpfälzer Wald und vom Bayerischen Wald, der sich bis an die Donau bei Passau erstreckt. Man bezeichnet diesen Raum zusammenfassend als Ostmark, wobei Mark soviel bedeutet wie Grenzland.

Ein natürliches Niemandsland

Bis ins 11. Jahrhundert hinein waren die drei Gebirge von einem dichten natürlichen Waldkleid überzogen, das sich im wesentlichen aus Buchen, Tannen und Fichten zusammensetzte. Bis zum damaligen Zeitpunkt hatten sich nur wenige Menschen in diese Wildnis vorgewagt. Die unwegsamen Geländeverhältnisse und das rauhe Gebirgsklima stellten lange Zeit unüberwindliche Hindernisse dar. Abgesehen von den hohen Niederschlägen an den nach

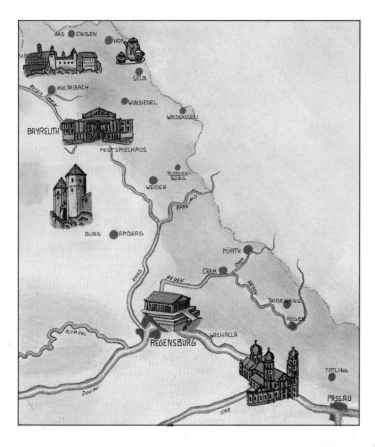

1

Westen gerichteten Gebirgsflanken und den kargen Böden waren es vor allem die harten und sehr langen Winter, die eine Besiedlung dieser Landschaft verhinderten. Von Osten weht in der kalten Jahreszeit der „Böhmwind". Er führt eisige kontinentale Luftmassen heran, die in Senkenzonen zur Ausbildung hartnäckiger Kaltluftseen führen. Landwirtschaft war und ist unter solchen Voraussetzungen nur mit großen Einschränkungen möglich. Kein Wunder also, daß sich die Menschen bis zur Jahrtausendwende auf die von Natur aus begünstigten Gebirgsvorländer beschränkten, vor allem auf den niederbayerischen Dungau, das Oberpfälzer Hügelland und auf Innerböhmen.

Bauern und Bergleute als erste Pioniere

Alle Unbilden der Natur konnten den Menschen jedoch auf Dauer nicht davon abhalten, sich in die unwirtlichen Bergwälder der Ostmark vorzuwagen. Alte Handelswege führten ohnehin schon längst von der Oberpfalz und vom Donauraum nach Böhmen. Am bekanntesten war der Goldene Steig durch den Bayerischen Wald. Auf diesem Saumpfad wurde Salz aus Reichenhall

5

2

nach Böhmen und auf dem Rückweg Getreide nach Bayern transportiert. In den altbesiedelten Randgebieten war der Bevölkerungsdruck im Laufe der Jahrhunderte immer größer geworden; man brauchte neues Land. Unter der Aufsicht von Adel und Klöstern drangen die ersten ab-

6

7

hängigen Bauern um die Jahrtausendwende in die Urwälder vor und schufen sogenannte Rodungsinseln. Hier breiteten sich ihre Feld- und Grünlandfluren aus, und hier standen auch ihre Siedlungen, planmäßig angelegte Waldhufen- und Rundangerdörfer.

Schon bald mußte man jedoch einsehen, daß die Landwirtschaft allein ihren Mann nicht ernähren konnte. Es mußten noch andere Erwerbsquellen erschlossen werden. Zwei davon waren schnell gefunden: die zusätzliche Nutzung des Waldes – sei es durch Waldweiden, Feld-Graswirtschaft oder den Verkauf von Holz – und der Bergbau. Im Fichtelgebirge setzte im 11. Jahrhundert der Stollenabbau von Gold, Silber und Zinn ein, im 14. Jahrhundert gesellte sich der Eisenerzabbau hinzu. Auch die Eisenverarbeitung ließ nicht lange auf sich warten. Ähnlich verlief die Entwicklung im Oberpfälzer Wald. Aber der Bergbau erlosch recht schnell wieder – zuletzt die Eisenerzförderung. Seit dem 16. Jahrhundert wurde die Konkurrenz des Siegerlands und der Steiermark übermächtig.

Im Bayerischen Wald spielte der Bergbau nie eine entscheidende Rolle, weil die Lagerstätten hier nicht ergiebig genug waren. Dafür entwickelte sich die Glasbläserei über Jahrhunderte hinweg zu einer der wichtigsten Erwerbsquellen, denn Holz stand als Energie in Hülle und Fülle zur Verfügung. Auch die Bewohner

des Oberpfälzer Waldes widmeten sich dem Glas. Sie ersetzten ihre alten Hammerwerke seit dem 18. Jahrhundert durch Glasschleifereien, die böhmisches Rohglas veredelten. Mit Beginn des Industriezeitalters ging die Bedeutung dieser traditionellen Gewerbe immer mehr zurück. Heute gibt es nur noch wenige Glasbläsereien im Bayerischen Wald. Das Fichtelgebirge bildet

Bild 6
Stillgelegtes Silberbergwerk bei Bodenmais.
Bild 8
Das Flüßchen Regen.
Bild 9
Ein Glasschneider bei der Arbeit.

8

9

Bild 7
Auf zum Kötzinger Pfingstritt!
Bild 10
Barockes Kleinod:
die Stiftsbibliothek in Waldsassen.

10

eine Ausnahme. Hier haben sich aus den alten Gewerben oft hochspezialisierte Industriebetriebe entwickelt. Heute zählt dieses Gebiet zu den am dichtesten besiedelten deutschen Mittelgebirgen.

Der Aufstieg zum deutschen Porzellanzentrum

Ein relativ junger Industriezweig verhalf der Bayerischen Ostmark, also dem Oberpfälzer Wald und vor allem dem Fichtelgebirge zu Weltgeltung: die Porzellanindustrie. Als es J. F. Böttger 1708/09 als erstem Nichtchinesen gelang, Hartporzellan herzustellen, entstanden nacheinander die berühmten Porzellanmanufakturen in Meißen (1710), Wien (1717), Berlin (1751), Höchst (1746). Damals redete in Selb oder Weiden noch niemand von Porzellan und anderswo niemand von Selb und Weiden. Aber das änderte sich, als die Kaolinvorkommen des Fichtelgebirges und der Naabsenke im Oberpfälzer Wald entdeckt waren. 1857 gründete L. Hutschenreuther in Selb die erste Porzellanmanufaktur, und 1879 folgte Rosenthal. Es schlossen sich weitere Gründungen in Arzberg, Waldsassen, Weiden und in anderen Städten an. Gute Qualität, lange Tradition und ansprechende Designs leiteten nach dem Zweiten Weltkrieg eine nie dagewesene Blüte der ostbayerischen Porzellanindustrie ein, die heute etwa 90 % der westdeutschen Porzellanerzeugung für sich verbuchen kann.

VON MÜNCHEN NACH REGENS-BURG – NIEDER-BAYRISCHE IMPRES-SIONEN

Schloß Schleißheim bei München liegt in einer wunderschönen Parkanlage, die von mehreren Kanälen durchzogen wird. Das alte Schloß wurde 1616 erbaut. Das neue Schloß entstand zwischen 1701 und 1727, es zählt zu den Hauptwerken des europäischen Barock. In seinen Räumen befindet sich eine Abteilung der Bayerischen Staatsgemälde-Sammlung.

Schloß Schleißheim

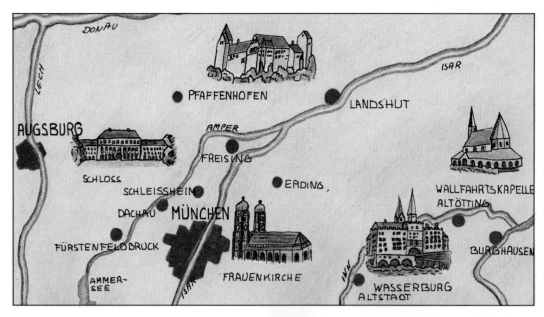

Niederbayrische Spezialitäten

Niederbayern ist unter landschaftlichen Gesichtspunkten jener Teil Bayerns, der im Vergleich zu Oberbayern tiefer, niedriger liegt. Außerdem, und das ist sicherlich wichtig, wohnen in dieser Gegend „waschechte" Bayern. Nach diesen beiden Abgrenzungskriterien schält sich Niederbayern als ein Gebiet heraus, das sich zwischen dem Lech im Westen, dem Inn und der Salzach im Osten, der Donau im Norden und Oberbayern im Süden erstreckt. Jenseits des Lechs setzt sich zwar dieselbe Naturlandschaft fort, aber dort wohnen keine Bayern, sondern Schwaben. Ähnlich verhält es sich im Osten. Dort verläuft die Grenze zum benachbarten österreichischen Innviertel. Im Norden trennt die Donau das Alpenvorland, zu dem Niederbayern gehört, von der höher gelegenen Gebirgsregion des Bayerischen Waldes und von der ebenfalls höheren, sanft nach Norden ansteigenden Fränkischen Alb. Hier beginnt, wie der Name schon sagt, das Stammesgebiet der Franken. Nicht weniger deutlich, aber auf der Landkarte schwerer zu erkennen, ist die im Süden verlaufende Grenze zu Oberbayern. Sie hält sich an die Trennlinie zwischen Alt- und Jungmoränenland, die in drei girlandenförmig von den Alpen ins Vorland vorkragenden Bögen von Osten nach Westen verläuft.

Niederbayern: Produkt der Alpen und der Eiszeiten

Der Verlauf der niederbayerischen Südgrenze erscheint auf den ersten Blick ziemlich kompliziert, doch wenn man die Landschaftsgeschichte des Alpenvorlands kennt, wird er verständlicher. Als die Alpen im Tertiär gefaltet und gehoben wurden, bildete sich in ihrem Vorland eine schüsselförmige Mulde, die zeitweise vom Meer überflutet war. Diese wurde von den Alpenflüssen allmählich mit den Schuttmassen aufgefüllt, die sie aus dem Gebirge herantransportierten. Im darauffolgenden Eiszeitalter stießen insgesamt viermal gewaltige Gletscher zungenförmig aus den Alpentälern ins Vorland vor, wobei die heutige Landschaft gestaltet wurde. Der weiteste Eisvorstoß wird durch wallförmig von den Gletschern zusammengeschobene, aus mitgeführtem Gesteinsschutt bestehende Jungendmoränen markiert. Und genau diese bewalde-

ten Hügel, die insbesondere die Becken von Ammersee, Starnberger See und Chiemsee im Norden umfassen, bilden die Südgrenze Niederbayerns.
Nördlich der jungen Moränenkette folgt noch eine in den Formen weitgehend verwischte Altmoränenkette. Weiter nördlich davon haben die ehemaligen Gletscherschmelzwässer kilometerweit alles verschüttet.

Bild 1
Gäubodenfest in Straubing.
Dazu trägt man natürlich Tracht.
Bild 2
Hopfenernte in der Hallertau.
Bild 3
Burghausen an der Salzach ist ein hübsches Städtchen. Hoch über der Altstadt thront die längste Burganlage Deutschlands.
Bild 4
Die Landshuter Hochzeit erinnert an die 1475 gefeierte Hochzeit Herzog Georgs und der Polin Jadwiga.

6

Ihre Schotter liegen überall mehrere hundert Meter hoch über dem tertiären Untergrund. Die Landschaft ist in diesem Bereich völlig eben. Noch weiter nördlich steigt die unter der Schottermasse versunkene ehemalige tertiäre Landoberfläche sanft an und ragt aus den eiszeitlichen Schottern heraus. Dort, wo Schotter und Tertiärhügel einander berühren, staut sich auf weiten Flächen das Grundwasser. Es entstanden große Moorgebiete: Dachauer Moos, Erdinger Moos und Donaumoos.

Bild 5
Hoch über Landshut beherrscht Burg Trausnitz die Stadt. Man sieht, daß die Handwerker und Künstler aus Italien kamen.
Bild 6
Am Ende des breiten Straßenmarktes in Straubing steht der Stadtturm.
Bild 7
Bekannt geworden ist Erding nicht so sehr wegen seiner Trachtler vom Edelweißstamm, sondern wegen des Erdinger Weißbräus und des zugehörigen Bräustüberls.
Bild 8
Attraktiver Blickfang Burghausens ist der schöne Stadtplatz. Eine Besonderheit der Städte an Inn und Salzach ist die italienisch anmutende Bauweise mit Laubengängen und zinnengekrönten Fassadenabschlüssen.
Bild 9
Burghauser Turm mit Sonnenuhr.

Ein Hauch von Norddeutschland

Diese Überschrift klingt mit Sicherheit befremdend mitten in Bayern. Aber dennoch ist sie nicht ganz unberechtigt. Man muß nur einen Ausflug in eines der drei Moose unternehmen, um an Norddeutschland erinnert zu werden. Die drei großen Moorgebiete dienten jahrhundertelang als Jagdreviere und Weidegebiete, bis im 18. und 19. Jahrhundert ihre Kultivierung in Angriff genommen wurde. Auf fürstliche Anordnung wurden Klein- und Leerhäusler, die Ärmsten der Armen aus den umliegenden Altsiedelländern, in den Moosen angesiedelt. Außerdem holte man Kolonisten aus der Pfalz und aus anderen Gegenden Deutschlands herbei. Sie gruben ein dichtes Netz von Entwässerungskanälen und legten die

7   8

9

Moore trocken. Im Donaumoos südlich von Neuburg wurden einige richtige Moorhufendörfer gegründet. Windschutzstreifen mußten angelegt werden, um Torfverwehungen zu verhindern. Bei der Moorkultivierung beging man jedoch einen großen Fehler. Die Siedler erhielten zu wenig Land, um existieren zu können. Lange Jahre lautete deshalb ihr Wahlspruch, gleich dem der Moorbauern im Norden: „Dem ersten der Tod, dem zweiten die Not, dem dritten das Brot." In der Tat reicht es den Moosbauern

1

2

ßenzug mit seinen romantischen Laubengängen, der von der Isar zum gotischen Martinsmünster führt. Hier sind wir wieder bei den Ziegelsteinen, beim „norddeutschen Element" in Niederbayern. Das Münster ist mit 133 Metern höchster Backsteinbau der Welt!

Eine weitere Besonderheit Landshuts ist das alle drei Jahre von etwa 1500 Mitspielern abgehaltene historische Fest der Fürstenhochzeit. Es geht auf die Blütezeit der Stadt im 15. Jahrhundert zurück. 1475 heiratete

3

heute zum Brot und sogar zu mehr, denn die Anwendung von Kunstdünger und die systematische Erforschung der geeignetsten Anbaumethoden führten zum Erfolg. Saatkartoffeln und im Donaumoos neuerdings sogar Zuckerrüben, bringen genügend ein, ebenso der Anbau verschiedener Gemüsesorten für den Münchener Absatzmarkt.

„Norddeutsches"
auch in Landshut

Landshut wurde 1204 durch Herzog Ludwig „den Kelheimer" gegründet. Er war der zweite Wittelsbacher auf dem bayerischen Herzogthron. Nach seiner Ermordung verlegte sein Sohn Otto die Residenz von Kelheim nach

Landshut, und schon wenig später wurde es Hauptstadt Niederbayerns. Diese Funktion hat die Stadt bis heute behalten. Man sieht es dem Bild der Altstadt an, daß Landshut besonders in früheren Jahrhunderten eine bedeutende Rolle gespielt haben muß. Ein gewachsenes Kunstwerk ist der zu den städtebaulichen Raritäten Deutschlands zählende, Altstadt genannte Stra-

Bild 1
Schloß Nymphenburg in München.
Bild 2
Eine andere Ansicht vom reizvollen Schloß Schleißheim.
Bild 3
Regensburg mit dem gotischen Dom als Blickfang.
Bild 4
Beim Altöttinger Musikfest.

4

der reiche Herzog Georg die polnische Königstochter Jadwiga. Eine Woche lang durfte kein Wirt der Stadt Speisen und Getränke gegen Bezahlung abgeben. Die Ehe Herzog Georgs blieb kinderlos, was 1504 zum Landshuter Erbfolgekrieg führte. Dieser kostete Götz von Berlichingen seine rechte Hand. Seine berühmte eiserne Hand, die heute auf der Götzenburg in Jagsthausen aufbewahrt wird, sollen ihm angeblich hilfsbereite Landshuter Rüstungsmacher angefertigt haben. Allerdings ist dies nicht eindeutig belegt.

Niederbayern hat weitere Besonderheiten

Eine der Besonderheiten Niederbayerns ist die Hallertau oder Holledau, die sich rund um das Städtchen Mainburg erstreckt. Hier dreht sich nämlich alles um

land war dagegen der „Gäuboden" genannte Dungau, die Kornkammer Bayerns. Auf dem fruchtbaren Lößboden gedeihen Weizen und Zuckerrüben, und man sieht den prunkvollen Kirchen der Haufendörfer schon von weitem an, daß hier niemals Armut herrschte. Zentrum des Dungaus ist das Landstädtchen Straubing, dessen typisch nieder-

7

den Hopfen. „Der Hopf ist ein Tropf, jeden nimmt er beim Schopf." Deutschlands größtes Hopfenanbaugebiet liegt nicht von ungefähr in Bayern, denn zum einen stimmen hier die natürlichen Voraussetzungen, da Hopfen ein sommertrockenes Klima und tiefgründige, mineralreiche Böden benötigt, zum anderen gibt es in keiner anderen Gegend der Welt so viele Brauereien wie gerade in Bayern. Auf fast 10% der landwirtschaftlichen Nutzfläche stehen die hohen Gerüste, an denen sich der Hopfen emporrankt.

Der Hopfenanbau entwickelte sich in der Holledau erst allmählich seit dem 17. und 18. Jahrhundert. Zuvor war diese Gegend eine der ärmsten in ganz Bayern. Von Anfang an ein Wohlstands-

6

5

Bild 5
Hausfassaden in Wasserburg
am Inn.
Bild 6
Die Renaissanceresidenz in
Neuburg an der Donau wurde nach
dem Landshuter Erbfolgekrieg für
das neue Fürstentum Pfalz-Neuburg
errichtet.
Bild 7
Altötting mit seiner Gnadenkapelle,
hier der Kreuzgang mit Gebetskreuzen ist Bayerns bedeutendster
Wallfahrtsort.

8

9

bayerischer Straßenmarkt eine Sehenswürdigkeit ist.

Hübsche Städte gibt es außerdem am Inn und an der Salzach: Wasserburg, Burghausen, Altötting, um nur einige zu nennen. Sie zeigen eine auffällige Gemeinsamkeit: die Inn-Salzach-Bauweise. Eine langgestreckte Marktstraße wird von Häuserfassaden mit waagerechten Abschlüssen gesäumt, hinter denen sich sogenannte Grabendächer verbergen, die sich zur Hausmitte hin neigen. Daß Burghausen außerdem die längste Burganlage Deutschlands besitzt und das benachbarte Altötting Bayerns bedeutendster Wallfahrtsort ist – jährlich kommen über 500 000 Pilger, und selbst Papst Johannes Paul II. war 1980 hier –, macht eine Inn-Salzach-Fahrt noch reizvoller. 10

Bild 8
Münchens Theatinerkirche steht
am Odeonsplatz, gegenüber der
Residenz. Das im Barockstil erbaute
Gotteshaus hat eine 71 Meter
hohe Kuppel.
Bild 9
Neben zahlreichen stattlichen
Bürgerhäusern sorgt auch das
Obere Tor für die romantische
Atmosphäre von Neuburg.
Bild 10
Das gotische Martinsmünster in
Landshut mit dem höchsten
Backsteinturm der Welt (133 Meter).

SEEN UND SCHLÖSSER AM FUSSE DER ALPEN

Die Zugspitzbahn, eine elektrische Zahnradbahn, bringt die Besucher von Garmisch-Partenkirchen zum Schneefernerhaus (2694 Meter). Die Zugspitze ist mit ihren 2963 Meter der höchste Berg der Bundesrepublik Deutschland.

Zugspitzbahn

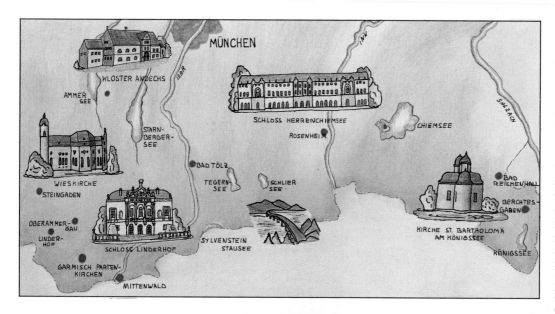

MÜNCHEN

KLOSTER ANDECHS

AMMER SEE

STARNBERGER SEE

SCHLOSS HERRENCHIEMSEE

ROSENHEIM

CHIEMSEE

WIESKIRCHE

STEINGADEN

BAD TÖLZ

TEGERNSEE

SCHLIERSEE

BAD REICHENHALL

BERCHTESGADEN

OBERAMMERGAU

LINDERHOF

SCHLOSS LINDERHOF

SYLVENSTEIN STAUSEE

KIRCHE ST. BARTHOLOMÄ AM KÖNIGSSEE

KÖNIGSSEE

GARMISCH PARTENKIRCHEN

MITTENWALD

Das oberbayerische Hochland

Zwischen dem Forggensee im Westen und dem Königssee im Osten breitet sich der größte Teil des deutschen Alpengebiets aus. Gewissermaßen das Dach Deutschlands, denn hier befinden sich die beiden höchsten Gipfel des Landes: die Zugspitze (2963 m) und der Watzmann (2713 m). Dieses Gebiet ist eines der beliebtesten deutschen Urlaubsziele geworden.

2

1

Eine „Kontrastlandschaft" wie aus dem Bilderbuch

Die Frage, warum sich der bayerische Alpenraum solcher Beliebtheit erfreut, läßt sich ziemlich leicht beantworten. Die Naturlandschaft ist an Gegensätzen, an Kontrasten kaum zu überbieten: hohe, schroffe Berggipfel und steilste Grate, tiefe Schluchten und breite Täler, ein vorgelagertes sanftes Hügelland und darin eingebettet mehrere Dutzend Seen aller Größenordnungen, die zum Baden und zum Wassersport einladen.

3

Bild 1
Man spürt schon etwas von der Macht der Naturgewalten beim Aufstieg durch die Wimbachklamm.
Bild 2
Typische bayrische Häuser mit ihrem prachtvollen Blumenschmuck in Benediktbeuren.
Bild 3
Mit Trommelwirbel marschiert der Tölzer Trachtenzug durch die Straßen.
Bild 4
Ludwig Thoma Geburtshaus in Oberammergau. Thoma schrieb Bauernromane, aber auch politische Satiren.

Die Entstehungsgeschichte dieser Landschaft reicht nicht sehr weit zurück, eigentlich nur bis ins Eiszeitalter, als riesige Gletscher aus dem Gebirge ins Vorland vorstießen und alles unter sich begruben. Ursprünglich kerbenförmige Engtäler wurden von den Eismassen zu trogförmigen Tälern mit breiten Böden ausgeweitet, und im Alpenvorland schufen die Gletscher beckenartige Vertiefungen, die sich nach dem Abschmelzen des Eises vor rund 10 000 Jahren mit Wasser füllten. An den nördlichen Enden der Seen riegeln breite, girlandenartig aneinandergereihte Endmoränenrücken die Seebekken ab: natürliche Staudämme, die nach der Eiszeit von den Seeabflüssen zerschnitten wurden. Zwischen Seen und Alpenrand prägen sanft geschwungene Hügel das Landschaftsbild. Sie sind

4

ehemalige Grundmoräne, die unter den Gletschern entstand, und zwar aus dem Gesteinsschutt, den die Eiszungen aus den Alpen mitschleppten.

Bayern und die Bayern

Vor den Bayern lebten zwar schon Menschen im Hochland, aber ihre Spuren sind in der Landschaft nicht mehr sichtbar. Die Archäologen sind sich nicht ganz einig, ob es sich um Kelten handelte oder nicht. Aber eines

ist sicher: Sie gehörten zur sogenannten Hallstattkultur, die von
etwa 750 bis 450 v. Chr. am
nördlichen Alpenrand verbreitet
war – so benannt nach dem
Städtchen Hallstadt am Hallstäd-
ter See im Salzkammergut. Dort
wurden die umfangreichsten
und bedeutendsten Funde gemacht. Die bayerischen Funde
stammen aus dem Berchtesga-
dener Land. Beide Gebiete besitzen größere Steinsalzvorkom-
men, und diese waren es auch,
die die Hallstadtmenschen in
dieser Region seßhaft werden
ließen. Grabfunde belegen, daß
damals bereits ein weitreichen-
der Salzhandel betrieben wurde.
15 n. Chr. wurde der Süden
Bayerns dann römische Provinz.
Das änderte sich erst, nachdem
die aus Osten in das Alpenvorland und die Alpentäler vordrin-
genden Bajuwaren sich hier im

5

6

8

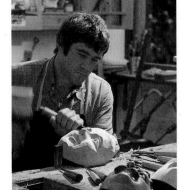

Bild 5
Die Talweitung der Ramsau gehört
zu den schönsten Winkeln der
bayrischen Alpen. Die malerische
Kunterwegkirche fügt sich bruchlos
in die Landschaft.
Bild 6
Ein Blick auf das Kloster Benediktbeuren. Das ehemalige
Benediktinerkloster wurde im 8. Jh.
gegründet. Heute ist dort eine
philosophisch-theologische
Hochschule der Salesianer untergebracht. Die Klosterkirche, in den
Jahren 168–83 entstanden, ist ein
frühbarocker Bau. Zur Anlage
gehört noch die Anastasiakapelle.
Hier in Benediktbeuren fand man
auch die aus dem 13. Jh.
stammende Handschriften-
sammlung Carmina Burana. Einige
dieser Vagantenlieder wurden von
Carl Orff vertont.
Bild 7
Ein Schwätzchen in Trachten aus
dem Isarwinkel.
Bild 8
Unter den geschickten Händen
dieses Holzschnitzers entstehen
kunstvolle Masken.
Bild 9
Der Tegernsee im bayrischen
Voralpenland hat eine Fläche von
8.9 km². Rund um sein Ufer liegen
sehenswerte Ortschaften.

7   9

6. Jahrhundert niedergelassen hatten und im Lauf der folgenden Jahrhunderte ihren Machtbereich bis an die Grenzen von Ungarn und der Poebene ausdehnten. Sie rodeten die tiefer gelegenen Gebiete und besiedelten das neu gewonnene Kulturland. Ackerbau war in Alpennähe aus klimatischen Gründen nur in beschränktem Umfang möglich, so daß die Viehhaltung auf Grünlandbasis sich zum tragenden Wirtschaftszweig entwickelte. Eine dichte Besiedlung war bei dieser große Flächen benötigenden Wirtschaftsform nur teilweise möglich. Deshalb findet man häufig kleine Weiler und vor allem die über die Flur verstreuten Einzelhöfe, jene stattlichen und oft reich bemalten Gebirgsbauernhäuser. Die bemalten Fassaden sind Ausdruck hohen bäuerlichen Wohlstands. „Lüftlmalerei" nennen die Bauern diese Fassadenmalerei, die vorwiegend religiöse Motive zeigt.

Traditionsbewußtsein: ein Markenzeichen Oberbayerns

Im oberbayerischen Hochland spielt die Landwirtschaft auch heute noch eine wichtige Rolle. Der intensive Fremdenverkehr hat zwar einiges an Althergebrachtem in Vergessenheit geraten lassen, aber das ländliche Element ist immer noch stark vertreten und mit ihm bäuerliches Traditionsbewußtsein und tief verwurzelte Heimatverbundenheit. Ludwig Thoma, der berühmte, 1921 gestorbene bayerische Schriftsteller, der auf humorvolle und satirische Weise auch bäuerliches Leben schilderte, würde noch heute kaum Schwierigkeiten haben, vieles in jenen bayerischen Kleinstädtchen und Dörfern wiederzuerkennen, das ihm als „Vorlage" zu seinen naturalistischen Bauernromanen diente. Ob allerdings auch Ludwig Ganghofer noch viel von der Gebirgsromantik vorfinden würde, die er in seinen Romanen verherrlicht, ist schon fraglicher. Moderne Seilbahnen bringen sommers wie winters Millionen von Touristen auf die einst stillen Almen, und Tausende durchstreifen die Bergregionen auf einem dichten Wanderwegenetz. Schuhplattler und Bierfeste sind heute für viele der Inbegriff weiß-

blauer Traditionspflege. Doch das Leben im bayerischen Hochland ist nach wie vor in extremer Weise durch den Wechsel der Jahreszeiten geprägt, und tiefe Frömmigkeit durchdringt in diesen Gegenden noch immer den Alltag. Diesem Lebensgefühl entspringt eine Fülle von althergebrachten Sitten und Gebräuchen, die in Oberbayern lebendig geblieben sind. Sie lehnen sich oft noch immer an das Kirchenjahr an, obwohl sie häufig schon längst als weltliches Brauchtum in das Bewußtsein der Menschen gerückt sind. Besonders bekannte Feste sind das Sternsingen in Ettal und in Oberammergau, das Aufstellen des Maibaums in fast jeder oberbayerischen Ortschaft, die Fronleichnamsprozession in Tegernsee, die Wallfahrt nach Andechs oder die Leonhardifahrten von Kreuth und Bad Tölz.

1

2

3

4

Bild 1
Im sogenannten Pfaffenwinkel steht auch die Wieskirche. Von außen ahnt man kaum, welche Prächtigkeit sich in ihrem Innern entfaltet. Sie ist das letzte große Werk des Baumeisters Dominikus Zimmermann und eine der schönsten bayrischen Rokokokirchen.
Bild 2
Kräftemessen!
Bild 3
Die Herrgottschnitzer von Oberammergau haben nicht nur vor den Passionsspielen viel zu tun.
Bild 4
Anleger in Prien am Chiemsee.

Traditionelles Oberammergau

Seit dem Mittelalter wurden in vielen Orten Passionsspiele abgehalten. Nur wenige haben sich jedoch bis heute erhalten, allen voran diejenigen von Oberammergau, die dem Ort zu Weltruhm verhalfen. Sie finden im Zehnjahresrhythmus statt, und

zwar noch immer als Laienspiel der Dorfgemeinschaft – obwohl Tausende von Besuchern aus aller Welt anreisen und die Passionsspiele längst zu einem bedeutenden Posten im Budget der Oberammergauer geworden sind. Das Traditionsbewußtsein ist hier noch groß genug, um das religiöse Anliegen der Spiele nicht in Vergessenheit geraten zu lassen.

Barock und Rokoko

Die Altbayern gelten nicht nur als traditionsbewußt, sondern gleichzeitig auch als weltoffen. Diese Eigenschaft haben sie bereits seit über 300 Jahren unter Beweis gestellt, denn Bayern wurde aufgrund seiner Lage am ehesten von Kultureinflüssen aus dem Süden erreicht. So lernten die Bayern schon sehr früh das weltoffene Lebensgefühl des Barock kennen und schätzen, und Bayern war später auch die Wie-

ge des Rokoko in Deutschland. Ein beredtes Zeugnis darüber legen Hunderte von Dorfkirchen und Dutzende von künstlerisch hochrangigen und bedeutenden Gotteshäusern ab. Beispielsweise die einzigartige Wieskirche von Dominikus Zimmermann, Kloster Ettal, die Klosterkirchen von Weyarn und Rott am Inn mit den meisterhaften Rokokofiguren des Bildhauers Ignaz Günther oder der Fürstenbau des ehemaligen Klosters Wessobrunn. Die Baumeister der Wessobrunner Schule waren zur Barock- und Rokokozeit in aller Welt tätig. Nicht zu vergessen ist auch Kloster Benediktbeuren, wo der Wissenschaftler Joseph von Fraunhofer (1787–1826) einst seine Werkstatt mit Laboratorium hatte. Von hier stammt auch die Sammlung von Vagantenliedern (in einer Handschrift des 13. Jahrhunderts), die „Carmina Burana", die Carl Orff als Vorlage für sein szenisches Oratorium diente.

Später entstanden dann in dieser Gegend die Traumschlösser Ludwigs II., nämlich Neuschwanstein und Linderhof.

Bild 5
Die ehemalige Benediktinerabtei Wessobrunn wurde 753 gegründet. Der Fürstenbau ist eines der schönsten Zeugnisse für das Können der Wessobrunner Schule, deren Baumeister zur Zeit des Barock und Rokoko in aller Welt arbeiteten. Zu Anfang des 9. Jh. wurden hier das Wessobrunner Gebet geschrieben. Eine der ältesten Schriften des Althochdeutschen in bayrischer Mundart. Die Handschrift liegt heute in der Staatsbibliothek München.
Bild 6
Das Aufstellen des Maibaums ist oft recht schwierig.
Bild 7
Kloster Andechs auf dem „Heiligen Berg".
Bild 8
Prozession in Bad Tölz.

Bild 9
Die Besucherströme am Königssee reißen während der warmen Jahreszeit kaum ab. Trotzdem kann man noch Idyllisches finden.

DIE SCHWABEN UND IHR MEER – DER BODENSEE

Inmitten von Weinbergen, hoch über dem Bodensee, thront die Wallfahrtskirche Birnau an der Oberschwäbischen Barockstraße. Der spätbarocke Bau wurde 1750 geweiht. Er gilt als das Hauptwerk des Baumeisters Peter Thumb.

Wallfahrtskirche Birnau

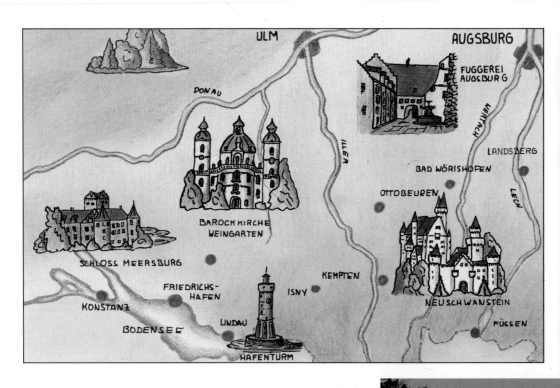

Bodensee, Oberschwaben und Allgäu

Die Alpen und ihr Vorland sind – mit geologischen Maßstäben gemessen – verhältnismäßig junge Landschaften. Vor rund 60 Millionen Jahren dehnte sich hier ein warmes Meer aus. Auf seinem Grund wurden riesige Mengen Schutt abgelagert, den die Geologen Molasse nennen. Diese Molasse drückte immer stärker auf die tieferen Schichten des feurigen Erdinneren. Das blieb nicht ohne Folgen: Es entstand ein noch stärkerer Gegendruck, der die Molasse um Hunderte oder gar einige Tausende von Metern in die Höhe preßte, weit über den Wasserspiegel hinaus. So läßt sich in groben Zügen die Entstehung der Alpen beschreiben.

Heute ein Grünland, früher ein Grönland

Da in den Eiszeiten Schnee und Eis nicht schmelzen konnten, entstanden gewaltige Gletscher. Gletscherzungen von mehreren hundert Metern Höhe schoben sich bis zur Donau vor. Die ganze Landschaft wurde abgeschliffen, selbst Berge wurden versetzt. Nur an wenigen Stellen blieb das ursprüngliche Molassegestein an der Oberfläche erhalten, etwa am Alpenrand zwischen Kemp-

ten und Isny. Auch bekannte Aussichtsberge wie der Bussen bei Riedlingen und der Auerberg bei Schongau sind Molasseberge.

Als das Eis taute, blieben riesige Schuttberge zurück, die Moränen. Große Vertiefungen, die das Eis gegraben hatte, füllten sich mit Wasser: der Bodensee, der Federsee und all die anderen kleineren Seen. Im Laufe der Zeit trugen Wind und Wetter die Moränen ab, glätteten die steilen Hänge, verschütteten die Seebecken, so daß die Seen verlandeten und zu Mooren wurden (Wurzacher Ried, Pfrunger Ried). Der Südteil des Alpenvorlandes wurde in der letzten Eiszeit, die vor 15000 Jahren ihrem Ende entgegenging, nochmals von Gletschern bedeckt, der Nordteil nicht. Darum gibt es im Süden steilere Hügel und mehr Seen.

Bild 1
An der Lindauer Hafeneinfahrt verkündet ein überlebensgroßer Löwe, zu welchem deutschen Land diese Stadt seit 1806 gehört.

Bild 2
Über den Dächern der Stadt erhebt sich das Füssener Schloß. Die gotische Anlage besitzt im Fürstenflügel hübsche Wandmalereien und einen Rittersaal mit einer eindrucksvollen Holzkassettendecke. Das Schloß war einst im Besitz der Augsburger Fürstbischöfe.

Bild 3
Die herrlich gelegene Wallfahrtskirche St. Coloman bei Schwangau.

Bild 4
Männer beim Holzsägen vor dem Meersburger Schloß.

7

5

6

Bild 5
Die Wasserfläche des Bodensees wirkt besonders im Herbst und Winter als Wärmespeicher. Deshalb wachsen auf der Insel Mainau auch verschiedene tropische und subtropische Pflanzen.
Bild 6
In Unteruhldingen stehen diese Pfahlbauten. Es sind Rekonstruktionen nach Ausgrabungsstücken. Ob man in der Stein- und Bronzezeit wirklich so gelebt hat, ist allerdings recht umstritten.
Bild 7
Das gotische Bayertor von 1425 in Landsberg am Lech, ist ein Überrest der einstigen Stadtbefestigung.

8

nige dieser Berge haben schroffe Felswände, andere sind Grasberge mit intensiven Farben. Gras braucht viel Regen, und den gibt es hier. Der Regen ist häufig nur von kurzer Dauer, aber oft sehr heftig; meistens scheint im Allgäu jedoch die Sonne. Am schönsten ist hier der Bergfrühling, wenn Tausende von Blüten die Wiesen bunt färben. Anderswo ist um diese Jahreszeit längst Sommer, doch hier blühen Mehlprimeln, Frühlingsenzian und Soldanellen im Juni und Juli, etwas später kommen Alpenrosen und Edelweiß.

Grün und würzig sind die Wiesen auch im etwas weniger hohen Vorberggebiet der Nagelfluhkette, den Bergen um Lindenberg, Isny und Oberstaufen. Hier gibt es viel Wald und herrliche Aussichten ins Alpenvorland, vom Grünten, dem „Wahrzeichen" des Allgäus, oder von den Bergen um Pfronten, ebenso von der Deuschen Alpenstraße aus, auf der man das ganze Allgäu von West nach Ost durchfahren kann (Lindau – Sonthofen – Füssen).

Ein Ausflug ins Hochgebirge

Andere Spuren der Eiszeit sieht man in den Alpen. Die Täler von Rhein, Iller und Lech wurden von Gletschern gebildet. „Normale" Flußtäler sind V-förmig, Gletschertäler U-förmig; Trogtäler nennt sie der Fachmann.

Die Allgäuer Bergwelt erreicht man am besten vom Illertal aus. In den Orten Immenstadt, Sonthofen, Hindelang, Fischen und Oberstdorf treffen sich verschiedene Bergbäche, die zur Iller zusammenfließen. Steil geht es entlang den Tälern und Schluchten (besonders eng ist die Breitachklamm) aufwärts, hinein ins Hochgebirge. Nebelhorn, Großer Daumen und Höfats sind die höchsten Gipfel, die ganz im Allgäu liegen. Noch höher sind die Grenzberge zu Österreich, etwa Hochvogel und Mädelegabel. Ei-

9

Bild 8
Das Allgäu ist eine imposante Landschaft. Der hier vom Fotografen eingefangene Blick von der Ahornspitze auf das Tegelsberghaus liefert einen Beweis dafür.
Bild 9
Radolfzell und sein Nachbarort Moos sind seit alters her eng miteinander verbunden. Beim Hausherrenfest im Juli findet die Mooser Wasserprozession statt. Da fahren die Mooser, angeführt von ihrem Pfarrer, in die Stadt.

Ein internationales Gewässer mitten in Europa

Nördlich dieser Berge sind die Alpen abrupt zu Ende. Direkt an ihrem Rand liegt der Bodensee. Obwohl ein prächtiger bayerischer Löwe den Hafen von Lindau bewacht, gehört der größte Teil des Sees zu Baden-Württemberg, weswegen der Bodensee auch Schwäbisches Meer heißt. Die Schweiz und Österreich sind ebenfalls Anrainer dieses internationalen Gewässers. Bis vor wenigen Jahrzehnten wurde hier lebhafter Seehandel betrieben;

große Bedeutung hatte dabei Friedrichshafen, der Endpunkt der „Schwäb'schen Eisenbahn", eine der ältesten Fernbahnlinien Deutschlands. Güter lud man in der schwäbischen Hafenstadt auf Schiffe um und verfrachtete sie in Richtung Süden. Heute lohnt sich das nicht mehr, doch ist der Schiffsverkehr auf dem Bodensee nicht minder rege: Zwischen zahllosen Segel- und Sportbooten sind Fährschiffe und Ausflugsdampfer unterwegs.

Bild 1
Bibliotheksaal im Prämonstratenserkloster in Bad Schussenried.

3

2

Bild 2
Ein besonderer Blickfang in Augsburg ist das Renaissance-Rathaus aus dem 17. Jh.
Bild 3
Auch Donauwörth besitzt noch zahlreiche alte Baudenkmäler.
Bild 4
Stücke aus den Kindertagen der Luftfahrt, im Zeppelinmuseum Friedrichshafen.

4

Ein Garten Eden für Obst und Gemüse

Das Wasser des Bodensees ist im Herbst und Winter ein Wärmespeicher. Es muß schon sehr lange sehr kalt sein, bis der See zufriert, und das ist dann ein Jahrhundertereignis, die „Seegfrörne". In der kalten Jahreszeit ist das Wasser meist wärmer als die Luft, und daher gibt es an seinen Ufern seltener Frost als anderswo. Man macht sich das zunutze. Auf der Insel Reichenau werden kälteempfindliche Tomaten und Salate angebaut, Gemüse von dort kann man überall in Südwestdeutschland kaufen. Auf der Mainau gedeihen Palmen und Bananen; in diesem Blütenparadies glaubt man sich an die Riviera versetzt. An den Hängen gegenüber, bei Meersburg und Hagnau, reift der „Seewein". Bei Tettnang liegt ein bekanntes Hopfenanbaugebiet, und fast überall am Bodensee wachsen Obstbäume.

5

Die ältesten Häuser Oberschwabens

In zwei Epochen der Menschheitsgeschichte waren Baumeister vom Bodensee und aus Oberschwaben führend in der Welt. Zu Zeiten, als man nur mit Steingeräten Holz bearbeiten konnte, entstanden die berühmten „Pfahlbauten". Ob diese Gebäude der Stein- und Bronzezeit wirklich im Wasser standen – wie es im Freilichtmuseum Unteruhldingen gezeigt wird – oder ob man sie am Ufer errichtete, ist nicht sicher, die Fachwelt streitet darüber. Sicher ist aber, daß die Konstruktion dieser Holzbauten auf dem weichen Untergrund der Seeufer und Moore vor mehr als 4000 Jahren großes Geschick und sehr viel Mühe erforderte.

Barocke Augenlust

Die andere große Zeit oberschwäbischer Architektur war das Zeitalter des Barock, als man sich nach den grauenvollen Religionskriegen des 16. und 17. Jahrhunderts wieder mehr der Lebensfreude hingeben konnte. Doch hinter dem Bau prächtiger Kirchen stand ein klares Kalkül der katholischen Kirche: Prunk und Pracht, sonst nur in Schlössern üblich, sollten die Menschen beim „rechten Glauben" halten. In Oberschwaben muß es damals ein richtiges Kirchenbaufieber gegeben haben. Heute führt die oberschwäbische Barockstraße zu diesen Bauten. Überall kann man die herrlichen Deckengemälde bewundern. In Zwiefalten und Steinhausen, der „schönsten Dorfkirche der Welt", zeigen sie unter anderem die vier Erdteile (Australien war noch nicht entdeckt!), die das Christentum preisen. Alle Kreatur fällt in dieses Lob ein, selbst Vögel und Insekten, die an den Säulen klettern und krabbeln. Besonders berühmt ist ein Putto in der Wallfahrtskirche Birnau. Diesen kleinen rundlichen Engel aus Stein nennt man den Honigschlecker, weil er aus einem Honigtopf nascht.

Bild 5
Bei den Touristen sehr beliebt sind Kuhschellen in allen möglichen Größen mit ihren hübschen, bunten Bändern.

6

7

Barocker Ohrenschmaus

Oberschwäbische Kirchen besucht man nicht nur, um etwas zu sehen, sondern auch, um Musik zu hören. Alle diese Kirchen haben eine hervorragende Akustik. Zudem gibt es hier berühmte Orgeln, etwa in Ottobeuren und Weingarten. Diese Instrumente haben – passend zur sonstigen Kirchenausstattung – einen heiteren Klang. Ihre Erbauer hatten Freude am Experimentieren, sie

Bild 6
Die Viehscheid ist in Gunzesried eines der großen Ereignisse des Jahres. Hier werden beim Almabtrieb im September so etwa 1200 Rinder auf dem Scheidplatz zusammengetrieben.
Bild 7
„Schönste Dorfkirche der Welt" nennen die Steinhausener stolz ihr prunkvolles, barockes Gotteshaus. Ein Meisterwerk von Dominikus Zimmermann.

8

erfanden silberhelle und glasartig klingende neue Register, auch gewaltig dröhnende, doch vor allem die zarten. Ein besonderes Bestreben war es, die menschliche Stimme mit der Orgel nachzuahmen. In viele Instrumente wurde eine „Vox humana" eingebaut. Doch diese Orgelregister glichen dann doch nicht ganz der menschlichen Stimme, am besten glückte die „Vox humana" vielleicht Joseph Gabler in Weingarten; diese weltberühmte Orgel wird alljährlich Tausenden von Besuchern vorgeführt.

Rund um das liebe Milchvieh

Je weiter man in Oberschwaben nach Osten kommt, desto stärkere Bedeutung gewinnt die Grünlandwirtschaft. Besonders stark prägen braungraue Bergkühe auf tiefgrünen Weiden das Landschaftsbild des Allgäus. Früher baute man auch hier Getreide und Kartoffeln an. Heute aber läßt man sich Korn im Güterwagen oder Lastauto liefern und betreibt die an das regen- und sonnenreiche Klima am besten angepaßte Form der Landwirtschft: Hier dreht sich alles um die Rinderhaltung. In Augsburg, Kempten und Ravensburg gibt es riesige Molkereien, Käsereien und Schokoladefabriken, in denen die Milch zu den verschiedensten Produkten verarbeitet wird.

Bild 8
Augsburg verdankte seine frühere Bedeutung den weitreichenden Unternehmungen der Fugger. 1519 gründeten die Fugger die „Fuggerei", eine aus 53 Häuschen bestehende Siedlung für bedürftige Mitbürger.
Bild 9
Die Fasnet wird im alemannischen Raum groß geschrieben. Zu den besonderen Ereignissen zählt das Stockacher Narrengericht, bei dem man die Stadtoberen aburteilt.

9

SCHWARZ-WÄLDER ROMANTIK UND TRADITION

Genauso stellt man sich eine Schwarzwaldidylle vor: Von der Sonne beschienen liegt dieses typische Bauernhaus an einem grünen Hang im Guttachtal.

Guttacher Bauernhaus

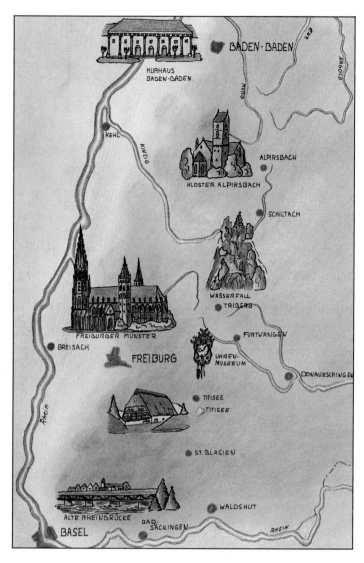

Der Schwarzwald ist auch heute noch immer ein ausgedehntes Waldland. Tannen sind allerdings selten geworden. Nachdem sie gefällt worden waren, pflanzte man statt der Tannen junge Fichten, die schneller wachsen. Tannen gibt es noch an den steileren Hängen, wo es für die Holzfäller zu gefährlich ist, sie zu schlagen. Es ist zu hoffen, daß das Baumsterben dem charakteristischen Schwarzwaldbaum nicht völlig den Garaus macht.

Der Nordschwarzwald: Buntsandstein und Täler

Den Schwarzwald durchzieht eine markante Landschaftsgrenze: das Kinzigtal. Nördlich davon prägen weite Buntsandstein-Hochflächen, die nahezu eben sind, die Landschaft. Ausgedehnte Hochmoore liegen südwestlich von Wildbad, am Wildsee, am Hornsee und am Hohlohsee. Wandert man hier, sieht man oft viele Kilometer lang kein Haus, nicht einmal einen Menschen. Alles Leben konzentriert sich in den tief eingeschnittenen Tälern, in denen die Städte liegen: Pforzheim, Neuenbürg und Wildbad an der Enz, Nagold und Calw an der Nagold, Gaggenau und Gernsbach an der Murg. Eine Sonderstellung nimmt Freudenstadt ein, die einzige Stadt im Nordschwarzwald außerhalb eines Tales: Die heute berühmte Kurstadt wuchs allerdings auch

Bild 1
Altarwerk in Niederrottweil.
Bild 2
Ein Gardist der historischen
Bürgerwehr von Unterhamersbach.
Bild 3
Blick vom Freiburger Münster
auf das Schwabentor.
Bild 4
In Hirsau stehen von dem
ehemaligen Benediktinerkloster
nur noch Ruinen. Ein Blick auf
Kreuzgang und Eulenturm.

Der Schwarzwald und seine Vorberge

Das südwestlichste und höchste deutsche Mittelgebirge hat einen geheimnisvollen Namen, der erstmals bereits in einer St. Galler Urkunde von 868 auftaucht. Dort ist vom „Svarzwald" die Rede. Mit noch größerer Ehrfurcht als die Deutschen das Wort „Schwarzwald" sprechen die Franzosen „Forêt Noir" und die Engländer „Black Forest" aus. Warum das so ist, wird klar, wenn man sich einige Jahrhunderte zurückversetzt.

Von der Schwarzwaldtanne zum Kriegsschiff

Im Mittelalter kannte man, zumal als Ausländer, das Gebirge nicht aus eigener Anschauung, dafür aber die riesigen Baumstämme, die im Schwarzwald gewachsen waren und den Rhein abwärts geflößt wurden. Noch heute heißen die höchsten Tannen im Schwarzwald „Holländertannen", nach den Kunden, für die sie einst bestimmt waren. Die Holzfäller und Flößer waren rauhe Kerle; es gehörten schon Geschick und Mut dazu, 50 Meter lange Stämme zu fällen und über alle Stromschnellen des Mittelrheins zu bringen. In Holland und England wuchsen solche riesigen Bäume nicht, und die Flößer kamen den dortigen Menschen ziemlich fremdartig vor. Der Nährboden für die Sagen vom Holländermichel aus dem Schwarzen Wald war geschaffen. Wenn man so will, verdanken die nordwesteuropäischen Seefahrernationen dem Schwarzwald ein gut Teil ihres Ruhms. Die langen Tannenstämme waren das ideale Baumaterial für die Kriegsschiffe, die jahrhundertelang die Weltmeere beherrschten. Die Holländer bauten im übrigen auch ihre Windmühlen aus Tannenholz.

nicht organisch, sondern ist eine vom württembergischen Herzog Friedrich I 1599 gegründete Stadt, in der aus Österreich vertriebene Protestanten angesiedelt wurden. Die Hochfläche des Nordschwarzwalds ist schräggestellt. Sie steigt nach Westen an und erreicht ihre größten Höhen im Bereich von Hornisgrinde (1164 m), Kniebis (971 m) und Schliffkopf (1055 m). An dieser markanten Höhenlinie endet die

Buntsandsteinauflage des Nord-Schwarzwalds abrupt. Ein jäher Steilabfall kennzeichnet diese Stelle. Entlang dieser Gipfel und vorbei am sagenumwobenen Mummelsee windet sich die Schwarzwald-Hochstraße.

Das kühle und regenreiche Klima des Nordschwarzwalds ist das „Reizklima", das viele Feriengäste suchen. Nicht nur Freudenstadt, auch Wildbad, Bad Teinach, Bad Liebenzell, Schömberg und Bad Herrenalb, Bad Peterstal-Griesbach und Bad Rippoldsau sind bekannte Kur- und Erholungsorte.

Mittlerer und Südlicher Schwarzwald: Reich des Urgesteins

Südlich des Kinzigtales, in dem so emsige Städtchen wie Schiltach, Wolfach, Hausach und Haslach liegen, gibt es nicht so große Buntsandsteinebenen, höchstens noch ganz im Osten des Gebirges. Hier prägen die Urgesteine Granit und Gneis die Landschaft. Typisch sind rundliche, sanfte Bergkuppen, die im Süden, vor allem am Feldberg,

Bild 5
Die Kuppel der Klosterkirche St. Blasien wurde dem Petersdom in Rom nachempfunden.
Bild 6
Fronleichnamprozession in St. Peter.
Bild 7
Ein Meisterwerk des Brückenbaus ist das Ravennaviadukt im engen Höllental.
Bild 8
Das romantische Fachwerkstädtchen Gengenbach.

Herzogenhorn, Kandel, Schauinsland und Belchen, beachtliche Höhen erreichen. Der 1493 Meter hohe Feldberg ist der höchste deutsche Mittelgebirgsberg. Sein Gipfel ragt – der Name sagt es! – über die Waldgrenze hinaus. Der Südschwarzwald kommt, ähnlich wie der Nordschwarzwald, ebenfalls in den Genuß reichlicher Regen- und Schneefälle. In den Urgesteinsböden wird Wasser optimal geklärt, es tritt als besonders klares Quellwasser wieder zu Tage. Das wußten schon die Mönche von St. Blasien, die an einer Granitquelle ihre Brauerei bauten. Heute wissen es alle diejenigen, die schon einmal im Titisee, Windgfällweiher, Schluchsee oder einem anderen Schwarzwaldsee gebadet haben. Man kann hier selbstverständlich auch segeln und surfen. Die Wassersportler und Wanderer werden im Winter von den Skiläufern (alpin und nordisch) abgelöst – der Schwarzwald ist eine Feriengegend für jede Jahreszeit.

Vom Wasser und seiner Kraft

Die meisten Flüsse aus dem Schwarzwald fließen in den Rhein. In den, allerdings zum Teil über den „Umweg" Neckar, Wutach, Schlücht, Alb, Murg, Wehra, Weise, Dreisam, Elz und alle Flüsse des Nordschwarzwaldes münden. Brigach und Breg bringen dagegen bei Donaueschingen die Donau „zuweg", wie ein volkstümlicher Reim sagt. Den Schwarzwald durchzieht die europäische Hauptwasserscheide. In geologischen Zeitabläufen wurde und wird sie immer weiter nach Osten verschoben. Der Rhein gräbt der Donau quasi das Wasser ab, weil er das Meer mit größerem Gefälle als die Donau erreicht. Großes Gefälle haben auch die Schwarzwaldbäche. Manche von ihnen sind zu Seen aufgestaut, an denen sich Kraftwerke befinden. Dort erzeugt man Strom anders als anderswo: Das sogenannte Schluchseewerk schließt mehrere Seen und Flüsse zu einem Verbundsystem zusammen. Zu Spitzenverbrauchszeiten laufen die Turbinen und liefern Strom ins Verbundnetz, der zu anderen Zeiten die Pumpen antreibt, die Wasser aus dem Rhein in die Stauseen und Speicherbecken des hohen Schwarzwaldes anheben. Für die nächste Spitzenverbrauchszeit ist dann oben genug Wasser vorhanden.

Bergbau vom Mittelalter bis heute

Im Schwarzwald siedelten sich im Mittelalter die ersten Menschen an. Neben den Holzfällern kamen auch Ackerbauern, denen es in den angrenzenden Gäulandschaften und am Oberrhein zu eng geworden war. Ebenso Mönche, die in abgeschiedenen Winkeln ihre Klöster gründeten: Hirsau, Herrenalb, Allerheiligen, Klosterreichenbach, Alpirsbach, St. Peter, St. Märgen und St. Blasien, um nur einige zu nennen. Bald zog mehr Leben in die Schwarzwaldtäler ein, denn man fand Bodenschätze. So weltentrückt waren die Mönche nun auch nicht, um daraus keinen Nutzen zu ziehen. Vor allem St. Blasien verdankte dem Silberbergbau beträchtlichen Reichtum. „Gediegen Silber", also das reine Silber, ist in den Erzgängen des Schwarzwaldes selten. Das edle Metall ist aber als Beimengung in Bleiglanz enthalten, einem hier häufigen, schwarzblau glänzenden Erz. Das Herausschmelzen des Silbers lohnte sich in vergangenen Jahrhunderten durchaus, heute allerdings nicht mehr, weil es anderswo billiger gewonnen werden kann. Vor einige Jahrhunderten herrschte Silberfieber in „Reinerzau", am „Erzkasten" Schauinsland und in der „Gottes-

1

ehre" bei Urberg. Später wurden Schwerspat (Baryt), der zur Herstellung von Druckfarben und Barytpapier dient, sowie Flußspat (Flußmittel bei der Erzverhüttung) abgebaut. Im zweiten Weltkrieg sollte der Erzbergbau neu belebt werden, weil Deutschland damals von den Rohstoffquellen des Auslands abgeschnitten war. Eine Aufbereitungshalle für Kupfererz in Neubulach wurde allerdings bis 1945 nicht fertig und blieb eine Bauruine.

Holz und Handwerk

Abgesehen von den Bodenschätzen ist Holz „der" Rohstoff im Schwarzwald. Daß alles, was daraus gemacht wurde, außerordentlich durchdacht war, wird einem in den Heimatmuseen klar, etwa im Freilichtmuseum Vogtsbauernhöfe bei Gutach. Die für den Schwarzwald so typischen Bauernhäuser stehen am Hang, und zwar so, daß man mit dem Wagen direkt auf den Dachboden fahren kann. Durch die „Ifahr", das große Tor im Dach, gelangen Heu, Stroh und Getreide ohne Aufzug und Tragen an den rechten Platz; auf den Speicher. Was man davon im Winter braucht, wird durch ein Loch in den Stall hinuntergeworfen. Stall und Wohnung liegen im Erdgeschoß und können meist von der Talseite her zu ebener Erde betreten werden. Unnötig zu sagen, daß die Häuser – bis auf die Grundmauern und die Öfen – ganz aus Holz gebaut sind. Die Dächer sind mit Holz-

schindeln gedeckt, das ganze Mobiliar ist aus Holz, sogar Teller und Löffel. Der Schwarzwälder Ofen ist eine pfiffige Konstruktion: Vom großen Kachelofen ziehen Rauch und Wärme durch eine lange Ofenbank, auf der man nicht nur im Winter, sondern auch an kühlen Sommer-

Bild 1
Stolz thront das alte Breisach auf einem einzeln stehenden Vulkanfelsen hoch über dem unten vorbeifließenden Rhein. Blickfang ist das altehrwürdige Münster.

Bild 2
Die klaren Schwarzwaldbäche speisen ungezählte Forellenteiche. Hier werden die Fische gefangen, die man in vielen Gasthäusern bekommt.

Bild 3
Rund um Achkarren reifen hervorragende Kaiserstühler Weine.

3

abenden gerne sitzt, zum Kamin. Aus Holz sind auch die Masken, die zur berühmten „Fasnet" aufgesetzt werden, und die Uhren mit allen ihren Zahnrädern waren früher ebenfalls ganz aus Holz gefertigt. Verbreiteter noch als das beliebteste Souvenir, die Kuckucksuhr, ist die Wanduhr mit dem bemalten Zifferblatt. Fast alle Uhren haben Gewichte in Form von Tannenzapfen. Die oft besungene „Mühle im Schwarzwälder Tal" ist früher ebenfalls mitsamt ihren Nägeln, Schrauben und Mühlrädern hölzern gewesen. In den meisten dieser Mühlen wurde kein Korn gemahlen, sondern sie waren Sägemühlen, in denen man Holz verarbeitete.

2

5

6

Mit der Eisenbahn kamen die Kurgäste

Bis zum letzten Jahrhundert herrschte – mit Ausnahme der Bergbauorte – fast überall die Einsamkeit. Das wurde nach dem Bau der Eisenbahnen anders. Die Dampfrösser erklommen das Gebirge allerdings erst

Bild 4
Der Schwarzwald ist seit alters her untrennbar mit der Uhrenherstellung verbunden.
Bild 5
Der verwunschene Mummelsee wird von vielen Touristen besucht.
Bild 6
Schon die Römer badeten in den heißen Quellen von Badenweiler.

nach aufwendigen Baumaßnahmen. Wunderwerke der Technik sind die Schwarzwaldbahn bei Triberg, die sich durch zahlreiche Kurven und Tunnels windet, und die Höllentalbahn zwischen Freiburg und Titisee. Sie schlängelt sich durch ein Tal, das so eng ist, daß einst – der Sage nach – ein vom Jäger gehetzter Hirsch hinübersetzte. Auf der „Sauschwanzbahn" zwischen Blumberg und Weizen, die mit ihren vielen Kurven (u. a. Deutschlands einziger Kehrtunnel) ihrem Namen alle Ehre macht, verkehrt heute nur noch ein Museumszug. Im Südschwarzwald entstanden große Ferienzentren, etwa in Lenzkirch, Schluchsee und Höchenschwand, dem höchstgelegenen Ort des Schwarzwaldes. Doch behielten viele Schwarzwaldtäler, beispielsweise das Wolfachtal und das Bernauer Tal, ihr ursprüngliches Bild. Die Siedlungen sind weit verstreut und sehen noch genauso aus, wie sie vor 100 Jahren der Bernauer Maler Hans Thoma gemalt hat.

Hitze und Kälte liegen dicht beieinander

In starkem landschaftlichen Kontrast zum Schwarzwald selbst steht sein westlicher Rand. Wie stark die klimatischen Gegensätze hier sind, wird daraus deutlich, daß im Landkreis Breisgau-Hochschwarzwald die Mähdre-

scher fast drei Monate lang unterwegs sind. Während in der Oberrheinebene bereits Anfang Juli Getreide reif ist, ist es im hohen Schwarzwald erst Ende September soweit. Der Feldberg, an dem in manchen Sommern der Schnee nicht ganz schmilzt, ist nur rund 30 Kilometer von Deutschlands heißestem Ort, Ihringen am Kaiserstuhl, entfernt; auf dem Feldberg fallen im Jahr rund drei bis vier Mal so viele Niederschläge wie am Kaiserstuhl.

Erdschollen brechen auseinander

Der Oberrheingraben gehört zu einer geologischen Bruchnaht, die von Norwegen durch das Mittelmeer bis nach Ostafrika verläuft. Die Geologen nehmen an, daß in Millionen von Jahren Erdschollen hier so auseinanderbrechen werden, wie sich vor Urzeiten Europa und Amerika voneinander getrennt haben.
Der Kaiserstuhl entstand beispielsweise, als vor Jahrmillionen die Erdhülle Risse bekam, durch die glutflüssige Magna aus der Tiefe emporquoll. Heute reift an seinen lößbedeckten „Vulkanfelsen" ein sonnenschwerer Wein. Doch gibt es auch Wälder, und im Herzen des Kaiserstuhls erhebt sich der kahle Badberg, ein Eldorado für Pflanzenfreunde.
Am Westrand des Schwarzwaldes liegen noch andere Weinbaugebiete, wo der badische Wein „von der Sonne verwöhnt" wird: die Ortenau, der Tuniberg und das Markgräflerland. Bei Bühl reifen die berühmten Zwetschgen, am Tuniberg auch Spargel. Das Markgräflerland mit seinen vielen Schlössern und farbenfroh ausgestatteten Dorfkirchen ist die Landschaft des Dichters Johann Peter Hebel, der hier Vikar und Pfarrer war.
Die Oberrheinebene war schon immer ein reiches Land, was man den Städten ansehen kann: der auf dem Reißbrett entworfenen badischen Residenz Karlsruhe, Rastatt, Ettlingen und Baden-Baden, wo sich Europas Adel traf und trifft. Ebenso Offenburg, Kehl, Lörrach, Breisach mit seinem berühmten Münster, und Freiburg, das seine Bedeutung dem Bergbau, dem Münster und der Universität verdankt.

Burg Hohenzollern

VIEL STEINE GABS UND WENIG BROT – SCHWÄBISCHE ALB

Wie ein Märchenschloß reckt die spätromantische Burg Hohenzollern auf dem gleichnamigen Zeugenberg am Albtrauf ihre Türme in den Himmel. Sie ist geradezu das Wahrzeichen der Schwäbischen Alb – trotz ihrer preußischen Vergangenheit.

Wo die Alb am höchsten ist

Die höchsten, steil abfallenden Höhen der Schwäbischen Alb liegen an ihrem Westrand. Nach Osten fällt das Bergland dagegen sanft und unmerklich zur Donau hin ab. Die Berge sind außerdem im Südwesten höher als im Nordosten: Lemberg, Plettenberg und noch einige andere im „gebirgigsten" Teil der Alb – zwischen Balingen und Spaichingen – übertreffen gerade eben die 1000-Meter-Marke.

Vom Jurameer zum Juragebirge

Dort, wo heute die Alb ist, brandete vor mehr als 100 Millionen Jahren ein Meer, das die Geologen Jurameer nennen. Da der Meeresspiegel damals kein wesentlich anderes Niveau hatte als heute, kann man schließen, daß das Gebirge seither um rund 1000 m angehoben wurde. Im warmen Jurameer lebten zahlreiche Tierarten deren versteinerte Körper man heute überall im Kalkstein finden kann. Muscheln und Austern sind die häufigsten, etwas seltener sind Ammoniten oder Ammonshörner, Tiere, die ähnlich wie Tintenfische mit Tentakeln ihre Beute fingen.

Besonders phantasieanregend sind die Belemniten. Das sind fossile Kopffüßer mit einem dreiteiligen Gehäuse und einer Länge bis zu zwei Metern. Ihr hinterer Teil wird im Volksmund oft „Donnerkeil" genannt. Das Vorderteil entspricht dem Schulp der heutigen Tintenfische, den viele Zimmervögel als Wetzstein für ihre Schnäbel bekommen.

Spezialisten finden noch weitere versteinerte Tiere, vor allem in den weltberühmten Ölschieferbrüchen von Holzmaden. Dort gibt es auch ein Museum, in dem man Fische, Seelilien und Saurier, die größten Landtiere aller Zeiten, bewundern kann.

Die Schwäbische Alb

Von Südwesten nach Nordosten zieht quer durch das südliche Mitteleuropa das Juragebirge, von dem die Schwäbische Alb (oder der Schwäbische Jura) ein Teil ist. Geologisch gleich aufgebaut ist die Fränkische Alb im Nordosten, und aus den gleichen Gesteinen bestehen der Französische und Schweizer Jura weiter südwestlich. Von ihren Nachbarn kann die Schwäbische Alb trotz aller Verwandtschaften geographisch klar getrennt werden: Ihre Südgrenze ist der Hochrhein, die Nordgrenze das Nördlinger Ries.

Bild 1
Auf den Weiden des Landesgestüts Marbach steht der schwäbische Pferdeadel.
Bild 2
Der Albtrauf ist von vielen tiefen Tälern zerschnitten. Hier das Filstal.
Bild 3
Die Peitschenschnalzer sind ein Höhepunkt beim Nördlinger Stadtfest.

4

6   5

Karst: Viel Regen, wenig Wasser

Die Schwäbische Alb ist, wie jedes Kalkgebirge, eine Karstlandschaft. Obwohl es nicht gerade wenig regnet, ist Wasser hier Mangelware. Alles Regenwasser versickert sofort in den Klüften des leicht wasserlöslichen Gesteins. Es gibt zahlreiche Täler auf der Alb, doch fließen nur in den wenigsten Bäche oder Flüsse – es sind Trockentäler. In anderen Landschaften liegen in den Tälern die feuchten Wiesen, an den umgebenden Hängen die Äcker. Auf der Alb ist es gerade umgekehrt: Die Talsohlen sind für den Ackerbau gerade noch feucht genug, auf den Höhen sieht man trockene Weiden, auf die nur die anspruchslosen Schafe zur Weide getrieben werden können. Wasserversorgung war schon immer ein Problem für die Bewohner der Alb. Ihre Dörfer gründeten sie meist dort, wo eine Lehmschicht den Boden für Wasser undurchdringbar macht. Dort liegen die künstlich geschaffenen oder erweiterten „Hülen" oder „Hülben", kleine Dorfteiche voll lebensnotwendigem Naß. Viele Dörfer mußten früher durch den Wasserwagen versorgt werden.

Bild 4
Die katholischen Orte südlich von Tübingen sind Fastnachtshochburgen. Am bekanntesten ist der Rottweiler Narrensprung.
Bild 5
Besonders malerisch ist das Durchbruchstal der Donau bei Beuren.
Bild 6
Handwerker lassen sich zusehen beim Nördlinger Stadtfest.

Dolinen und Tropfsteinhöhlen

Das Wasser sammelt sich unterirdisch dort, wo eine undurchlässige Schicht den Sickerstrom aufhält. Das ist schon seit Jahrtausenden so; „steter Tropfen höhlt den Stein". Es entstanden die berühmten Albhöhlen, etwa die Bärenhöhle, die Laichinger Tiefenhöhle, die Nebelhöhle sowie die Charlottenhöhle. Das von der Decke herabtropfende Wasser, das sehr viel gelösten Kalk enthält, bildet die Tropfsteinhöhle. Stalaktiten wachsen von oben herunter, Stalagmiten vom Boden in die Höhe. Die Höhlen, von denen sicher erst ein kleinerer Teil entdeckt ist, sind in Wirklichkeit unterirdische „Flußtäler", in denen jedoch nur noch selten Wasser fließt. Bricht über ihnen das Gestein ein, entstehen an der Erdoberfläche Dolinen, die wie Bombentrichter aussehen. Das Wasser der Höhlen tritt auch wieder ans Tageslicht, und zwar als Quelle, die oft eine ungeheure Wasserschüttung hat. Für den Fachmann sind das Karstquellen, der Volksmund nennt sie „Topf".
Am bekanntesten sind Aachtopf, Brenztopf und Blautopf. Diese tiefen Gewässer sind oft sagenumwoben; so ist der Blautopf die Heimat der schönen Lau, die Eduard Mörike besungen hat. Der Uracher Wasserfall wird ebenfalls aus einer Karstquelle

9

gespeist. Das Wasser dieser Quellen enthält Kalk, der sich an allem absetzt, was mit dem Wasser in Berührung kommt: Kiesel und Pflanzenteile werden mit steinhartem Kalksinter überzogen.

Bild 7
Skelett in der Bärenhöhle.
Bild 8
Auf der ausgedehnten Albhochfläche.
Bild 9
Der Blautopf bei Blaubeuren erscheint bei schönem Wetter in einem tiefen dunkelblau. Bei Regen ist er hell- bis grünblau.

7

8

Längst passé: Rulamans Heimat

Mit seiner Wasserarmut und dem kühlen Klima – nicht umsonst spricht man von der „rauhen Alb" – erscheint das Gebirge eher siedlungsfeindlich. Doch die Wasserarmut gab es nicht immer. Als während der Eiszeiten der Boden gefroren war, konnte Regenwasser nicht in ihn eindringen und Bäche durchflossen die heute trockenen Täler.

Archäologische Funde kennzeichnen die Alb als bevorzugtes Siedelland der Steinzeitjäger, die in den Höhlen Unterschlupf fanden. In den Grotten, im Lonetal und an der oberen Donau fand man unzählige Hinterlassenschaften dieser Menschen: Reste ihrer Beutetiere, zu denen Bär, Löwe und Mammut zählten sowie Geräte und Kunstwerke, die zu den ältesten Plastiken der Menschheitsgeschichte gehören. David Friedrich Weinland schrieb über das Leben dieser Menschen seinen „Rulaman", ein Roman, der in keinem schwäbischen Bücherschrank fehlen darf. Weinland schilderte das Leben der Kelten, die sich in der Mitte des ersten vorchristlichen Jahrtausends auf der Alb niederließen. Die Kuppen des Gebirges waren ideale Plätze für ihre Burgen, von denen die Heuneburg bei Hundersingen die bekannteste ist.

Burgen auf Berggipfeln und Vulkanschloten

Auch im Mittelalter wurden auf den Kuppen Burgen gebaut, etwa die Kaiserburg Hohenzollern sowie Hohenneuffen, Schloß Lichtenstein, über das Wilhelm Hauff einen Roman schrieb, die Teck und Hohenurach. Von manchen Burgen sind jedoch nur Trümmer übriggeblieben. Im Mittelalter standen auch westlich des Albrandes Burgen auf den sogenannten Zeugenbergen. Das sind isoliert auftretende Bergformen in der Nähe von Gebirgszügen. Ihr Gestein gleicht der entsprechenden Schichtstufe des Gebirges und bezeugt dadurch den ehemaligen Zusammenhang.

Zwischen Göppingen und Reutlingen sind viele Zeugenberge aus harten vulkanischen Gesteinen aufgebaut, die entstanden,

1

als Vulkanschlote den Kalkstein durchschlugen. Der Albvulkanismus ist längst erloschen, doch die Hitze des Erdinneren ist heute noch dort spürbar, wo man warme Thermalquellen erbohrte, etwa in Bad Urach. Eine merkwürdige vulkanische Bildung ist das Randecker Maar. Hier erkennt man noch Teile eines kreisrunden Vulkantrichters.

Wie das riesige Ries entstand

Eine ganz andere Naturkatastrophe führte zur Bildung des Nördlinger Rieses. Hier prallte ein Meteorit aus dem Weltraum mit solcher Wucht auf die Erdoberfläche, daß ein gewaltiges Loch entstand und Gesteinstrümmer vom Aufprallort bis ins Gebiet des heutigen Böhmens geschleudert wurden. Meteoritenkrater gibt es auf der Erde nur wenige, der Mond dagegen ist von ihnen übersät. Bevor zum ersten Mal amerikanische Astronauten auf dem Mond landeten, besuchten sie deshalb das Nördlinger Ries, um sich mit einer solchen Landschaft vertraut zu machen…

2

3

4

5

Bild 1
Schloß Lichtenstein ist das schwäbische Pendant zum bayerischen Märchenschloß Neuschwanstein.
Bild 2
Brigach und Breg, die beiden Quellflüsse der Donau vereinigen sich in Donaueschingen.
Bild 3
Fasnet in Mühlheim a. d. Donau.
Bild 4
Erntedankfest in Langenau.
Bild 5
Das Hohenzollernschloß in Sigmaringen thront auf einem steilen Felsen, der zur Donau hin schroff abfällt. Der Bergfried als ältester Teil stammt aus dem 12. Jh. Im Schloßmuseum sind Gemälde, Gobelins und Waffen zu sehen.

6

7

Bild 6
Das Ulmer Fischerstechen soll an die Bedeutung der Fischer- und Schifferzunft in früheren Zeiten erinnern. Zu diesem Spektakel finden sich immer mehrere tausend Zuschauer von überall her ein.

Wanderers und Schäfers Freuden: Wacholderheiden

So schwierig das Leben auf der Alb in der Vergangenheit war, so beliebt ist heute das Gebirge als Ferienlandschaft. Die mageren Wacholderheiden, auf denen die Schafe alles kleingerupft haben, bis auf das, was Dornen hat (Wacholder und Silberdistel) oder bitter schmeckt (wie Orchideen und Enzian), sind herrliche Wandergebiete. Die Schafhaltung, von Wanderschäfern betrieben, die im Jahresablauf weite Entfernungen zurücklegen und nur das auf ihre Reisen mitnehmen, was ein Eselrücken tragen kann, geht heute stark zurück.

Sehenswertes am Rande der Alb

Kunstdenkmäler gibt es auf der Albhochfläche nur wenige. In den Dörfern und Städtchen dukken sich die Bauernhäuser dicht an den Boden. Vom lebhaften Treiben des Mittelalters und der Gegenwart waren und sind die Städte am Rand der Alb erfüllt, etwa Nördlingen, wo heute noch zwei Turmwächter auf eine vielhundertjährige Stadt aufpassen, Ulm, dessen herrliches Münster den höchsten Kirchturm der Welt hat, die Zollerischen Residenzstädte Sigmaringen und Hechingen, oder die Zentren schwäbischen Gewerbefleißes: Balingen, Reutlingen, Göppingen, Geislingen und Aalen.
Technische Sehenswürdigkeiten sind die Steilrampen der beiden Hauptverkehrswege, die über die Alb führen: die Geislinger Steige an der Bahnlinie Stuttgart – München sowie der Aichelberg und der Drackensteiner Hang an der Autobahn, auf deren kühne Ingenieurkonstruktionen der Autofahrer meist nicht achtet. Andere Autostraßen der Alb haben ebenfalls starke Steigungen und Serpentinen, etwa die Honauer Steige bei der Burg Lichtenstein.
Hier, am Westrand, und entlang der romantischen Felsenschlucht, die die Donau in ihren Südostrand gegraben hat, präsentiert sich die Alb am ehesten als das, was sie auf ihrer Hochfläche nicht zu sein scheint: ein Gebirge.

8

Bild 7
Blick über Esslingen am Neckar. Schon 866 erhielt der damalige Ort „Ezzelingen" das Marktrecht. Die Stadt hat viele Sehenswürdigkeiten, darunter das Alte Rathaus und die Burg.
Bild 8
Kloster Obermarchtal an der Donau.

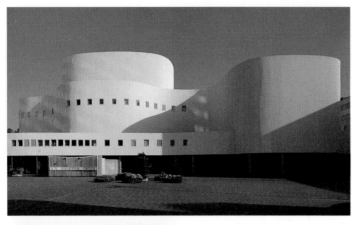

Bildquellen

Bildarchiv Steffens, Braunschweig
Bildverlag Merten, Saarburg
Deutsche Luftbild, Hamburg
foto-presse timmermann, Erlangen/Bremen
Dr. Peter Göbel, Wolfenbüttel
Greiner und Meyer, Agentur Photo-Center, Braunschweig
HB-Bildatlanten
Peter Jacobs, Hamburg
Peter Jobst
Rainer Kiedrowski, Ratingen-Hösel
Doris Klees-Jorde, Hainburg
Urs F. Kluyver
R. Kruse
Hansjörg Küster
Michael Mögle, Stuttgart
Poguntke
Fritz Prenzel, Gröbenzell
Prenzel IFA Bildagentur, München
Pressebild Pittner, Baden-Baden
Lothar Reupert, Hamburg
roebild, Frankfurt
Udo Scheller, Norderstedt
Marco Schneider, Lindau
Silvestris Fotoservice, Kastl
Verkehrsamt Berlin, Berlin
Stephan Wais
Xeniel-Dia, Neuhausen a.d.F.
ZDF, Mainz

Impressum

CIP-Kurztitelaufnahme der Deutschen Bibliothek
Moll, Udo:
Unser schönes Deutschland neu entdeckt/Udo Moll. – Niedern-
hausen/Ts.: Falken-Verlag, 1985.

ISBN 3 8068 4199 3

© 1985. by Falken-Verlag GmbH, 6272 Niedernhausen/Ts.
Titelbild: Bavaria
Karten: Wolfgang Herlitzius
Satz: Studio Oberländer, Wiesbaden
Druck: Druckhaus Dierichs GmbH & Co KG, Kassel
817 2635 4453 6271